les classiques illustrés Hatier

œuvres et thèmes

Collection dirigée par Georges Décote et Françoise Rachmuhl

une œuvre

LA CHANSON DE ROLAND

un thème

L'ÉPOPÉE

GILGAMESH, ULYSSE, ÉNÉE, RÂMA...

présentation de Bertrand Villain
AGRÉGÉ DE LETTRES MODERNES

Traduction de M. Pernot
Les classiques illustrés Hatier

 ISSN 0184-0851 ISBN 2-218-00514-X

Les auteurs et les textes

I. La Chanson de Roland

II. L'épopée

Exploitation des textes

Étudier les personnages, Marsile, Blancandrin, 19 • Ganelon, 26 • Charlemagne, 26, 30, Roland, 26, 30, 41 • les pairs, 35 • Olivier, Turpin, 41 • le héros épique, 112.

Étudier la construction dramatique : l'exposition, 19, 25 • l'organisation des laisses, 25, 54 • la fonction des répétitions, 47 • l'intervention de l'auteur, 54 • le point de vue, 67 • le dénouement, 80 • la structure d'un épisode, 95.

Analyser les techniques d'écriture : le style épique : les images, 19 • les répétitions, 30, 76 • l'amplification, 41, 125 • l'anaphore, 41 • le réalisme, 59 • la personnification, 59, 67 • récit et discours, 76 • le sublime, 96 • la formule, 102 • les comparaisons, 112 • la simplification, 125 • la symbolisation, 125.

Comparer les textes : 60, 68, 95, 112.

Étudier le vieux français : 19, 68.

Étudier le vocabulaire : 26, 30, 35, 40, 47, 54, 59, 67, 76, 102.

Analyser une image : 67, 126.

Se documenter : les Sarrasins, 20 • Suzerain et vassal, 26 • les valeurs symboliques du gant, du bâton, du chiffre douze, 26 • les trahisons dans la littérature, 31 • les serments et les reliques, 31 • rôle de l'avant et l'arrière-garde, 35 • le roi et l'empereur, 35 • l'épée, 48 • le combat épique, 48 • l'empire de Charlemagne, 48, 67 • l'armement des chevaliers, 54 • la mort, 76 • les capitales d'empire, 80 • le premier empire, 95 • Virgile, *L'Énéide*, 98 • la civilisation mycéenne, Homère, 102 • le Rameau rouge, 108 • une arme symbolique : l'arc, 116 • le *Râmâyana*, Valmiki, 117 • la parodie de l'épopée, 121 • roman et épopée, 125.

S'exprimer : 26, 31, 41, 48, 55, 59, 76, 80, 107, 127.

Introduction

• Naissance de la langue et de la littérature françaises

Le français est une langue latine comme l'italien, le portugais ou l'espagnol. Une lente transformation du latin, qui commence avec la décadence et la chute de l'empire romain, (IVe-Ve siècles) pour s'achever au VIIIe siècle, donne naissance au roman*[1]. Ce n'est plus du latin, ce n'est pas encore du français. Du roman se dégagent progressivement deux langues : la langue d'oc* au sud, la langue d'oïl* au nord, elles-mêmes divisées en plusieurs dialectes*. Les dialectes de la langue d'oïl constituent l'ancien français ; l'un d'eux, le francien, ou dialecte de l'Ile-de-France, deviendra le français.

Jusqu'au XIe siècle, les quelques textes écrits en ancien français, les cantilènes*, racontaient des vies de saints, souvent d'après un original latin. Tout change au XIe siècle où apparaissent la poésie courtoise* en langue d'oc*, composée et chantée par les troubadours*, et la poésie épique ou chansons de geste en langue d'oïl chantées par les jongleurs*.

1. Les mots suivis d'un astérisque sont expliqués dans le glossaire situé p. 81.

• Qu'est-ce qu'une chanson de geste ?

Il s'agit de longs poèmes qui racontaient la geste, c'est-à-dire les actions héroïques, les exploits accomplis (du latin *gesta*) par les chevaliers. Ils étaient composés le plus souvent en décasyllabes (vers de dix syllabes) répartis en laisses*, c'est-à-dire en strophes de longueur variable caractérisée par l'assonance* en fin de vers. L'assonance consiste en la reprise en fin de vers d'une même voyelle (*visage*, *face*) alors que la rime reproduit aussi les consonnes qui suivent. *La Chanson de Roland* comprend 4 002 décasyllabes répartis en 291 laisses.

• Notre plus ancien chef-d'œuvre

La Chanson de Roland est la plus ancienne de nos chansons de geste : on dit qu'elle aurait été chantée en 1066, au cours de la bataille d'Hastings par Taillefer pour redonner courage aux Normands de Guillaume le Conquérant face aux Saxons d'Harold. Quoi qu'il en soit, le plus ancien manuscrit de *La Chanson de Roland* connu – il date de la fin du XIe siècle ou du début du XIIe – a été écrit en dialecte anglo-normand, c'est-à-dire le dialecte français parlé en Normandie puis à la cour du roi d'Angleterre par les seigneurs après la victoire de Guillaume.

• De l'histoire à l'épopée

La Chanson de Roland est le récit d'un événement historique : le retour mouvementé de l'armée de Charlemagne en France après une expédition guerrière en Espagne. Celle-ci était occupée depuis le VIIe siècle par les musulmans qu'on appelait les Sarrasins*. Ce récit est-il pour autant fidèle à la réalité historique ?

En 778, à l'époque des faits, Charlemagne a trente-six ans et cela fait dix ans qu'il a été sacré roi des Francs : c'est donc un roi jeune. Que va-t-il faire en Espagne ? Il ne semble pas avoir eu l'intention d'en faire la conquête, même en partie, ni de mener une « croisade » contre les Infidèles, puisqu'il franchit les Pyrénées pour venir en aide au gouverneur musulman de Saragosse, Ben al-Arabi qui s'est révolté contre un autre chef musulman, l'émir de Cordoue. Mais Ben al-Arabi se réconcilie avec l'émir. Charlemagne vient mettre le siège devant Saragosse. C'est alors qu'une révolte des Saxons, peuple germanique que Charles vient de soumettre, et des troubles en Aquitaine, l'obligent à lever le siège et à repasser les Pyrénées.

Les *Annales royales* ne signalent aucun autre fait marquant. Ce n'est que dans une rédaction postérieure d'une vingtaine d'années qu'est mentionnée une embuscade tendue par les Basques qui auraient massacré l'arrière-garde de l'armée franque pour piller le butin accumulé pendant la campagne. Il faut attendre *La Vie de Charles* d'Eginhard (830) pour que soit nommé Roland.

La Chanson de Roland a amplifié les événements. Elle leur a donné une signification nouvelle, a transformé ou créé des personnages, ne reculant ni devant l'exagération ni devant le manichéisme (vision du monde qui se réduit à l'opposition du bien et du mal).

Les deux seuls personnages historiques conservés par la *Chanson* n'offrent guère de ressemblance avec leurs originaux : Charles est déjà l'empereur Charlemagne, Charles le Grand (du latin, *magnus*), alors que le sacre ne date que de l'an 800. C'est aussi l'empereur chenu (il a deux cents ans !), à la barbe fleurie. Roland est devenu le neveu de Charles et le plus vaillant et le plus fort de ses compagnons, les douze pairs*. Il est la figure centrale du récit alors qu'Eginhard ne faisait que le mentionner.

Tous les autres personnages sont des créations littéraires et n'ont aucune réalité historique.

Les événements prennent une tout autre dimension : l'expédition de quelques mois devient une guerre de sept ans et l'embuscade tendue par les Basques, une bataille rangée qui oppose des centaines de milliers d'hommes, chiffres énormes pour l'époque.

Le combat a d'ailleurs changé de nature : il ne s'agit plus de pillage mais d'une véritable guerre sainte opposant les Français, fidèles à la vraie foi, et les Sarrasins perfides dont la religion est assimilée au paganisme ; de ce fait, l'issue ne fait plus de doute, même si elle contredit la vérité historique : Charles l'emporte avec l'aide de Dieu, la défaite de 778 est transformée en victoire !

• L'œuvre dans son temps

L'ère des croisades

Reste à expliquer cet intérêt pour la bataille de Roncevaux, trois siècles après les événements. Le XIe siècle voit s'affronter chrétiens et musulmans en Europe du Sud et en Asie Mineure : c'est la reconquête de la Sicile et du Sud de l'Italie par les Normands[2], celle du Nord de l'Espagne (prise de Tolède par Rodrigo Diaz dit le Cid, en 1085), la prise de Jérusalem en 1099. L'Église catholique est évidemment le moteur de ces entreprises : après une première tentative du pape Grégoire VII en 1074, Urbain II prêche la première Croisade au concile de Clermont en 1095 ; l'ordre monastique de Cluny favorise le pèlerinage de Saint-Jacques-de-Compostelle en Galice, province du Nord-Ouest de l'Espagne, et, par conséquent, la reconquête chrétienne qui en éloigne les Sarrasins.

L'ère des chevaliers

Pour mener à bien ce que l'on appela la Guerre sainte, il fallait un nouveau type de guerrier, différent du seigneur féodal, brutal et turbulent, qui, tel Ganelon, ne connaît que les liens de vassalité et ignore la solidarité plus large qui doit unir tous les chrétiens face à l'ennemi commun, le Sarrasin. Ce nouveau type d'homme, c'est le chevalier incarné par Roland qui unit la loyauté à la vaillance : respectueux de la parole donnée, il se refuse, même dans la guerre, à toute manœuvre qui pourrait ressembler à une traîtrise. Son devoir n'est plus seulement de se battre pour le seigneur qui est son suzerain, mais surtout de défendre la foi chrétienne : il est devenu un soldat du Christ, à qui il est interdit, par la paix

---

2. Les Normands furent également fort actifs en Espagne et lors de la première croisade ; est-ce un pur hasard si le premier manuscrit connu de la *Chanson* est rédigé en anglo-normand ?

de Dieu proclamée par l'Église, de combattre d'autres chrétiens et à qui s'impose le devoir de lutter contre les Infidèles.

On comprend mieux alors le succès de *La Chanson de Roland :* elle était le symbole prestigieux de toutes ces croisades tandis que Roland et ses compagnons fournissaient un modèle héroïque à tous les chevaliers qui en composaient le public.

• La genèse de l'œuvre

Un auteur énigmatique

Le dernier vers de *La Chanson de Roland* ressemble à une signature : *Ci falt la geste que Turoldus declinet*, c'est-à-dire : « Ici finit la geste (l'histoire) que Turold (ou Turolde) décline. » Mais qui était Turold ? Que veut dire le verbe « declinet » ?

Turold est-il un clerc* ou un jongleur* ? Est-il l'auteur véritable de *La Chanson de Roland ?* un copiste ? ou le traducteur d'un texte plus ancien ? Nul ne le sait et le verbe ne nous fournit aucune indication puisqu'il peut prendre tous les sens que nous venons d'évoquer : écrire, copier, traduire, rassembler, etc.

Des origines mystérieuses

Où Turold, s'il est bien l'auteur de *La Chanson de Roland*, a-t-il puisé son inspiration ? S'il n'est que le compilateur de versions anciennes, d'où venaient ces récits ?
Deux hypothèses se sont longtemps affrontées.

– L'expression d'une culture populaire : Gaston Paris (1865) pensait que la chanson de geste avait, comme les contes, des origines populaires, et, comme eux, exprimait l'âme d'un peuple, un véritable sentiment national. Au départ, il n'y aurait eu que de courts poèmes oraux et anonymes que Paris appelle « cantilènes » qui auraient ensuite été rassemblés pour former un tout. Il est impossible de vérifier cette hypothèse dans la mesure où aucune de ces cantilènes primitives n'a laissé de traces.

Troubadour, XIIIe siècle, Miniature. Bibliothèque Royale de l'Escurial, Espagne.

– Une littérature savante : Joseph Bédier (*Légendes épiques*, 1908-1913), au contraire, voit dans la chanson de geste une création des clercs. À l'origine, le pèlerinage de Sainte-Foy-de-Conques et de Saint-Jacques-de-Compostelle : les monastères et les hospices clunisiens qui jalonnent cette route pour accueillir les pèlerins, diffusent quantité de légendes sur Charlemagne, défenseur de la chrétienté, et sur Roland : ils prétendent même détenir des reliques du héros comme son fameux cor. Pour Bédier, il s'agissait là d'un véritable effort de publicité en faveur des sanctuaires, couronné à la fin du XIe siècle par *La Chanson de Roland*, œuvre d'un seul artiste, d'un écrivain, Turold.

Les deux hypothèses sont-elles radicalement opposées ? On peut supposer qu'une longue tradition orale, celle des jongleurs a accompagné – voire précédé – l'effort des clercs et l'œuvre de Turold, comme semblent l'attester les marques de l'énonciation orale : abondance des répétitions destinées à soutenir aussi bien la mémoire du récitant que la tension dramatique, appel à l'attention du public, etc.

Mais cette longue tradition est peut-être plus vaste encore que nous le supposons : dire que *La Chanson de Roland* est une épopée, c'est la rattacher à l'*Iliade*, à l'*Odyssée*, à l'*Énéide*, et à d'autres encore, non seulement parce que ces œuvres ont en commun des traits bien connus comme l'amplification, le grossissement épique, la schématisation des comportements et des caractères mais aussi parce qu'il existe entre elles des parentés thématiques et structurelles : les repérer, c'est par contrecoup faire éclater l'originalité de *La Chanson de Roland.*

• Le destin de l'œuvre

L'œuvre de Turold connut un destin extraordinaire : reprise et sans cesse modifiée, elle connut de nombreuses versions tant dans les pays de langue d'oc *(Roland à Saragosse, Ronsasvals)* que dans les pays de langue d'oïl.

La Chanson de Roland servit de modèle à de nombreuses chansons de geste que les trouvères des XIIIe et XIVe siècles essayèrent d'organiser en cycles : la geste du roi, c'est-à-dire de Charlemagne, à laquelle est rattachée *La Chanson de Roland* ; la geste de Garin de Monglane, dont le héros est Guillaume d'Orange ; la geste de Doon de Mayence qui raconte les luttes des barons contre Charlemagne ou leur suzerain.

Les conquêtes normandes en Italie y diffusèrent l'histoire de Roland qui devint un héros extrêmement populaire : son histoire est toujours racontée en Sicile, dans les théâtres de marionnettes.

Mais l'histoire ne s'arrête pas là : les poètes romantiques comme Hugo ou Vigny ressuscitèrent Roland et Olivier ; défiant le temps, ces héros semblent aussi franchir les mers : Gilles Lapouge raconte dans son ouvrage *Equinoxiales*, que les paysans du Nordeste brésilien chantent toujours les exploits des douze preux.

S'il n'est pas certain que *La Chanson de Roland* ait été comme le soutenait Gaston Paris l'expression d'un sentiment national préexistant, on peut se demander si l'œuvre n'a pas contribué à créer une certaine sensibilité collective. Nous n'en voudrons pour preuve que la vitalité d'expressions comme « France la douce » ou « la France est veuve ». Quelle autre nation a ainsi personnifié la terre sur laquelle elle s'est forgée ?

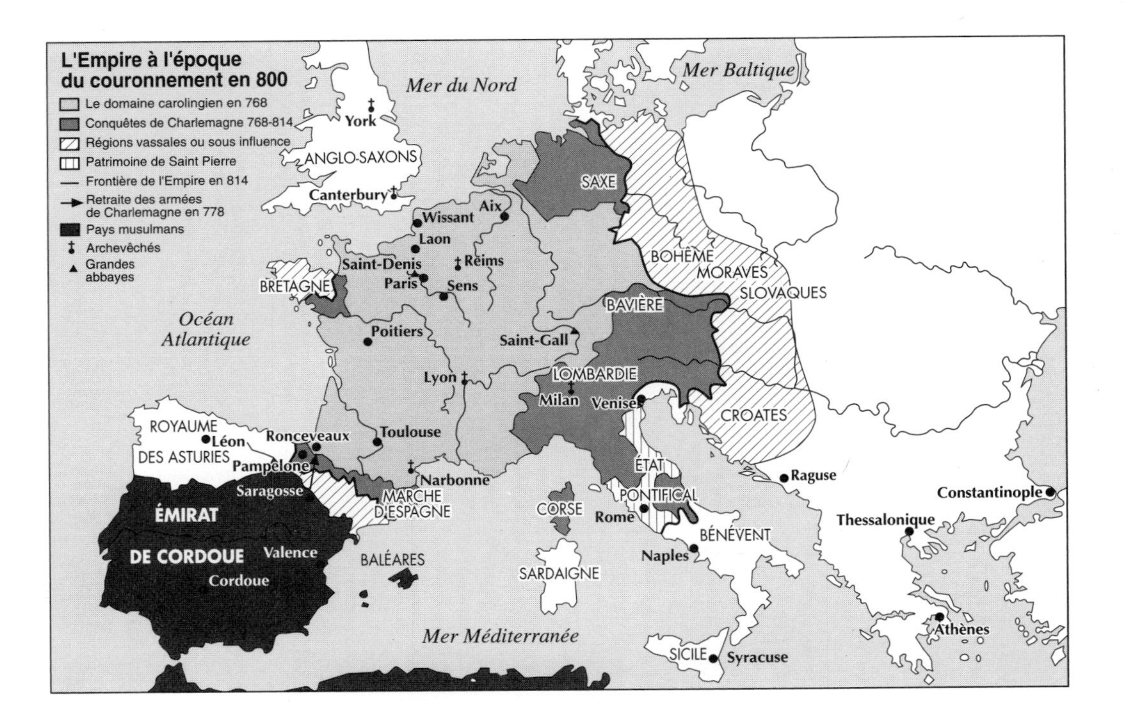

L'Empire à l'époque du couronnement en 800
Le domaine carolingien en 768
Conquêtes de Charlemagne 768-814
Régions vassales ou sous influence
Patrimoine de Saint Pierre
Frontière de l'Empire en 814
Retraite des armées de Charlemagne en 778
Pays musulmans
Archevêchés
Grandes abbayes
Mer du Nord
Mer Baltique
York
ANGLO-SAXONS
Canterbury
Wissant
Aix
Laon
Saint-Denis
Reims
Paris
Sens
BRETAGNE
SAXE
BOHÊME
MORAVES
SLOVAQUES
BAVIÈRE
Océan Atlantique
Poitiers
Saint-Gall
LOMBARDIE
Lyon
Milan
Venise
CROATES
ROYAUME
Léon
DES ASTURIES
Ronceveaux
Pampelone
Toulouse
Narbonne
Saragosse
MARCHE D'ESPAGNE
ÉMIRAT
DE CORDOUE
Valence
Cordoue
ÉTAT
PONTIFICAL
Raguse
Constantinople
CORSE
Rome
Thessalonique
BÉNÉVENT
Naples
BALÉARES
SARDAIGNE
Athènes
Mer Méditerranée
SICILE
Syracuse

Les principaux personnages

Les Français ou Francs

- *Charlemagne*, roi et empereur des Francs
- Les douze pairs :

Roland	neveu de Charlemagne, ami d'Olivier, fiancé à Aude
Olivier	son ami, frère d'Aude
Samson	duc de Bourgogne, compagnon d'Anséis
Anséis le vieux	compagnon de Samson
Gérin	compagnon de Gérier
Gérier	compagnon de Gérin
Bérenger	compagnon d'Othon
Othon	compagnon de Bérenger
Girard de Roussillon	personnage de nombreuses autres chansons de geste
Ivon	compagnon d'Ivoire
Ivoire	compagnon d'Ivon
Engelier	

- Les conseillers et grands dignitaires :

Turpin	archevêque de Reims et grand guerrier, compagnon de Roland et Olivier
Naimes	duc de Bavière ; conseiller sage et écouté de l'empereur
Ogier de Danemark	personnage de nombreuses chansons de geste, tour à tour ami et ennemi de Charles

- Le traître :

Ganelon	beau-père de Roland puisqu'il a épousé en secondes noces la mère de celui-ci, Berte, sœur de Charlemagne

- A Aix :

Aude	sœur d'Olivier, fiancée de Roland
Pinabel	chevalier français, défenseur de Ganelon
Thierry	chevalier français, adversaire de Pinabel

Les Sarrasins :

Marsile	roi de Saragosse
Branimonde	son épouse
Blancandrin	conseiller de Marsile
Aelroth	neveu de Marsile
Falsaron	frère de Marsile
Baligant	émir de Babylone, allié de Marsile

Repères historiques

732	Victoire de Poitiers remportée par Charles Martel.
741	Pépin le Bref, son fils, premier roi carolingien.
768	Charles, dit Charlemagne, roi des Francs.
778	Première expédition en Espagne, siège de Saragosse et défaite de Roncevaux.
800	Charlemagne sacré empereur d'Occident à Rome.
814	Mort de Charlemagne.
842	Premier texte en langue romane, le *Serment de Strasbourg*.
886	Les Normands attaquent Paris.
IXe s.	Premier poème en roman, *La Cantilène de Sainte Eulalie*.
941	Les Normands s'installent dans ce qui devient la Normandie.
987	Fin de la dynastie carolingienne, avènement du premier roi capétien, Hugues Capet.
1047-1091	Les Normands de Robert Guiscard et de Roger Ier reprennent l'Italie du Sud puis la Sicile aux Sarrasins.
1064-1085	Des seigneurs normands prennent part à la reconquête de l'Espagne sur les Sarrasins.
1066	Conquête de l'Angleterre par les Normands de Guillaume.
1095-1099	Première croisade à laquelle participent les Normands ; prise de Jérusalem.
XIe s.	La Chanson de Roland.

Linteau de la Cathédrale d'Angoulême, Art roman, XIIe siècle.

Chevauchée de Roland à travers les Pyrénées. *Karl der Grosse* du Stricker, détail, XIVe siècle.

PREMIÈRE PARTIE

LA CHANSON DE ROLAND

1. La ruse du roi Marsile

(Laisse 1)* Charles le roi, notre grand Empereur, sept ans tout pleins est resté en Espagne : jusqu'à la mer, il a conquis la haute terre. Pas de château qui tienne devant lui ; mur ni cité ne reste à forcer, hors Saragosse, qui est sur une
5 montagne[1]. Le roi Marsile la tient, Marsile qui n'aime pas Dieu ; c'est Mahomet[2] qu'il sert et Apollon[3] qu'il invoque ; mais il ne peut se garder qu'un malheur ne l'atteigne.

(2) Le roi Marsile était à Saragosse ; il est allé en un verger à l'ombre, et se couche sur un perron* de marbre bleu ; autour de lui sont plus de vingt mille hommes. Il appelle
10 ses ducs et ses comtes[4] : « Écoutez, seigneurs, quel malheur nous accable : l'Empereur Charles, de France la douce, en ce pays est venu nous confondre[5]. Je n'ai pas d'armée pour lui livrer bataille, je n'ai pas de gent* qui puisse disperser la sienne. Conseillez-moi, comme mes hommes sages, et sau-
15 vez-moi et de la mort et de la honte. »

Pas un païen* ne répond un seul mot, hors Blancandrin, du château de Valfond.

(3) Blancandrin était l'un des plus sages parmi les païens, chevalier* de grande bravoure, bon conseiller pour aider son
20 seigneur.

Il dit : « Ne vous effrayez pas. Mandez[6] à Charles, au superbe, au fier, que vous lui promettez service fidèle et très grande amitié ; que vous lui donnerez des ours, et des lions, et des chiens, sept cents chameaux et mille autours[7] sortis de
25 mue[8], quatre cents mulets chargés d'or et d'argent, cinquante

---

1. En réalité, Saragosse est une ville de plaine.
2. Prophète de l'Islam (570-632) qui prêcha un monothéisme absolu.
3. Ou, selon les manuscrits Apollin ; s'agit-il d'Apollon, dieu grec du soleil ou d'une épithète donnée par les Arabes à Satan, qui signifierait « le maudit » ?
4. L'auteur assimile les conseillers de Marsile à des seigneurs français.
5. Détruire.
6. Faites dire.
7. Oiseaux de proie utilisés, comme les faucons, pour la chasse au petit gibier.
8. La mue était une période dangereuse pour les autours : une fois cette période passée, l'oiseau a donc plus de valeur.

chars dont il fera un charroi[9] : il pourra largement payer ses soldats. Il a bien assez guerroyé en cette terre ; il est temps qu'il s'en retourne en France, à Aix[10]. Vous promettrez de le suivre à la fête de saint-Michel[11], de recevoir la loi des chré-
30 tiens[12] et de devenir son homme, en tout honneur, en tout bien. S'il veut des otages, vous lui en enverrez, ou dix, ou vingt, pour lui donner confiance. Envoyons-lui les fils de nos femmes : dût-il périr, je donnerai mon fils. Mieux vaut qu'ils y laissent la tête que nous de perdre nos fiefs* et nos domaines
35 et que d'être réduits à mendier. »

(4) Blancandrin dit : « Par cette mienne main droite, et par la barbe qui flotte au vent sur ma poitrine, vous verrez sur l'heure l'armée française lever le camp. Les Français s'en iront dans leur terre de France et quand chacun d'eux aura
40 regagné son meilleur logis, quand Charles sera à Aix, en sa chapelle, il donnera à la Saint-Michel une très belle fête. Viendra le jour, et passera le terme, il n'entendra de nous ni paroles ni nouvelles. Le roi est dur et son cœur est terrible ; il fera trancher la tête de nos otages. Bien mieux vaut qu'ils
45 y laissent la tête, que nous de perdre claire Espagne la belle, et d'endurer tant de maux et de privations. »

Les païens* disent : « Cela pourrait bien être. »

(5) Le roi Marsile a fini de tenir conseil : il appelle alors Clarin de Balaguer, Estamarin et Eudropin son pair, et Pria-
50 mon et Garlan le barbu, et Machiner et son oncle Maheu, et Joüner et Maubien d'Outremer, et Blancandrin[13], pour leur dire ses projets ; il en appelle ainsi dix des plus félons* : « Seigneurs barons, vous irez vers Charlemagne : il est au siège de la cité de Cordres[14] ; vous porterez en vos mains des
55 branches d'olivier, signe de paix et d'humilité. Si vous êtes assez habiles pour me réconcilier avec Charles, je vous donnerai beaucoup d'or et d'argent, des terres et des fiefs tant que vous en voudrez. »

---

9. Convoi.
10. Capitale de Charlemagne, voir chapitre 11.
11. Archange, chef de la milice céleste, soutien des soldats à leur mort ; protecteur de la France ; son sanctuaire principal est l'abbaye du Mont-Saint-Michel.
12. La foi chrétienne : Marsile feindra de vouloir se convertir au christianisme.
13. Comme celui de Marsile, tous ces noms sont imaginaires ; ils ne ressemblent aucunement d'ailleurs à des noms arabes.
14. Peut-être une déformation de Cordoue.

Les païens disent : « Nous en avons assez. »

60 *(6)* Le roi Marsile a fini de tenir conseil ; il dit à ses hommes : « Seigneurs, vous allez partir ; vous porterez en vos mains ces branches d'olivier ; et vous direz à Charlemagne, au roi, qu'au nom de son Dieu, il ait merci[15] de moi : avant qu'il n'ait vu passer ce mois, je le suivrai avec mille 65 de mes fidèles ; je recevrai la loi chrétienne, et je serai son homme[16] en tout amour et toute foi. S'il veut des otages, en vérité, il en aura. »

Blancandrin dit : « Vous aurez là un bon pacte. »

(7) Marsile fit amener dix mules blanches que lui avait 70 envoyées le roi de Suatille[17] ; les freins[18] sont d'or, les selles sont incrustées d'argent ; les messagers y sont montés ; ils portent dans leurs mains des branches d'olivier. Ils s'en vinrent auprès du roi qui tient la France : Charles ne peut échapper à leur ruse.

75

Comprendre le texte

1. Relevez dans la première laisse les éléments qui ne sont pas conformes à la réalité historique. Quel est l'effet produit ?

2. Dans la seconde laisse, Marsile se plaint : *Je n'ai pas d'armée pour lui livrer bataille, je n'ai pas de gent* qui puisse disperser la sienne.* Relisez la laisse et relevez une phrase qui semble la contredire. En quoi la dernière phrase de cette strophe permet-elle d'expliquer ce paradoxe ? Quelle impuissance des Sarrasins l'auteur met-il en évidence ?

3. Quelles sont les intentions de Marsile ? Cherche-t-il à vaincre Charlemagne ? Veut-il conclure réellement la paix ?

4. Quels conseils Blancandrin donne-t-il à Marsile ? Par quels moyens pense-t-il pouvoir éloigner Charlemagne ?

5. À votre avis, pourquoi l'auteur dit-il que Charles ne peut échapper à la ruse de Blancandrin ?

---

15. Pitié.
16. Son homme-lige, son vassal.
17. Ville de Catalogne que Roland vient de conquérir.
18. Le mors qui sert à arrêter le cheval.

Étudier les personnages

1. Marsile vous paraît-il être un souverain énergique et courageux ? Justifiez votre réponse. Quelles sont ses qualités et ses défauts ?

2. Blancandrin est *l'un des plus sages parmi les païens* : comment s'exprime cette sagesse ? Par quel autre qualificatif l'auteur caractérise-t-il les conseillers de Marsile ? Par deux fois, Blancandrin se dit prêt à sacrifier son fils si cela peut lui éviter de perdre ses domaines et les Sarrasins l'approuvent : quels sentiments l'auteur cherche-t-il à provoquer chez le lecteur ou l'auditeur de l'époque ?

Étudier la construction dramatique

La présentation des personnages et la mise en place de l'intrigue

Dans un tableau à deux colonnes, vous relèverez les éléments qui font de ce passage à la fois une scène d'action et une scène d'exposition.

Analyser les techniques d'écriture

Les images

Parlant du pays de son ennemi, Marsile dit : « France la douce » : en quoi cette expression est-elle surprenante dans sa bouche ? Si ce n'est pas une maladresse de l'auteur, quelle est son intention ? Comment l'Espagne est-elle qualifiée ? Quels aspects de ce pays sont ici suggérés ?

Étudier la langue

1. Quel est le sens du mot *païen* (laisses 2, 4 et 5) ? Quelle est son origine ? Montrez que ce mot ne convient pas pour désigner les Sarrasins.

2. La laisse est une strophe ou groupement de vers se terminant tous par la même voyelle : c'est l'assonance. Voici la seconde laisse de *La Chanson de Roland* dans le texte original, c'est-à-dire en français du XIe siècle :

Li reis Marsilie esteit en Sarraguce.
Alez en est en un verger suz l'umbre.

Sur un perrun de marbre bloi se culcher ;
Envirun lui plus de vint milie humes.
Il en apelet e ses dux e ses cuntes :
« Oez, seignurs, quel pecchet nus encumbret.
Li emperes Carles de France dulce
En cest païs nos est venuz cunfundre.
Jo nen ai ost qui bataille i dunne,
Ne n'ai tel gent ki la sue derumpet.
Cunseilez mei cume mi saive hume,
Si me guarisez e de mort e de hunte ! »
N'i ad paien ki un sul mot respundet,
Fors Blancandrins de Castel de Valfunde.

– Sur quelle voyelle l'assonance est-elle construite dans cette laisse ? Repérez dans la traduction en français moderne les mots qui sont en fin de vers dans le texte original : ont-ils gardé la même voyelle ?
– « Li reis », « Li emperes Carles », « Blancandrins » : quel est le nombre de ces trois groupes nominaux ? Quelle est leur fonction ? Vous répondrez aux mêmes questions pour les groupes suivants : « en Sarraguce », « en un verger suz l'umbre «, « quel pecchet ». Qu'est-ce qu'indique ici la présence d'un « s » final ? et son absence ?
– Repérez les formes verbales : quelles différences présentent-elles avec les formes modernes contemporaines ?

Se documenter

1. Relevez dans ce passage les éléments qui prouvent que l'auteur ne connaissait ni les Sarrasins d'Espagne ni la civilisation musulmane.

2. *Exposé.* Qui étaient les Sarrasins ? Vous ferez apparaître l'écart qui sépare sur cette question la réalité historique de *La Chanson de Roland.*

3. *Exposition.* Une civilisation brillante, l'Espagne musulmane, et ses apports scientifiques, technologiques et culturels, dans l'Europe du Moyen Âge et de la Renaissance.

2. Le messager

L'ambassade conduite par Blancandrin pour négocier la paix a transmis les propositions de Marsile à Charles. Roland, neveu de Charlemagne, parle le premier pour rappeler que, jusque-là, Marsile a repoussé toutes les offres de paix et a même massacré les émissaires français : pour lui, il faut continuer la guerre ; au contraire, le beau-père de Roland, Ganelon est favorable à la paix. Le très sage duc Naimes convainc les Francs de se rallier à cet avis. Charles, bien qu'il soupçonne un piège, doit désigner un ambassadeur pour porter sa réponse à Marsile. Les Francs réunis en un « funeste conseil » vont se prononcer.

(17) Seigneurs barons*, qui enverrons-nous à Saragosse, au roi Marsile ? » Le duc Naimes répond : « J'irai, avec votre consentement : octroyez-moi sur l'heure le gant* et le bâton*. »

5 Le roi répond : « Vous êtes un homme sage. Par cette barbe et ces miennes moustaches, vous n'irez pas en ce moment si loin de moi. Asseyez-vous, personne ne vous invite à parler. »

(18) « Seigneurs barons, qui pourrons-nous envoyer au Sarrasin[1] qui détient Saragosse ? » Roland répond : « J'y peux 10 très bien aller. – Non, certes, dit le comte Olivier. Votre cœur est terrible et fier ; j'aurais peur que vous ne vous attiriez quelque affaire. Si le roi y consent, j'y puis très bien aller. »

Le roi répond : « Taisez-vous tous les deux : ni vous ni lui n'y mettrez les pieds. Par cette barbe que vous voyez 15 blanchie, malheur si on choisit aucun des douze pairs*. » Les Français se taisent et se tiennent interdits.

---

1. Le roi Marsile.

(19) Turpin de Reims s'est levé de son rang et dit au roi : « Laissez vos Francs en repos ; en ce pays vous êtes resté sept ans ; ils ont eu beaucoup de peines et d'angoisses. Sire,
20 donnez-moi le bâton et le gant ; j'irai, moi, vers le Sarrasin d'Espagne, j'irai voir un peu comme il est fait. »

Mais l'Empereur répond avec colère : « Allez vous asseoir sur ce tapis blanc, et ne parlez plus, si ce n'est sur mon ordre. »

25 *(20)* « Francs chevaliers*, dit l'Empereur Charles, élisez-moi un baron de ma marche*, qui porte au roi Marsile mon message. » Roland dit : « Ce sera Ganelon, mon parâtre*. » Les Français disent : « Oui, il peut très bien le faire. Si vous ne le prenez pas, vous n'en trouverez pas de plus sage. »

30 Le comte Ganelon est tout saisi d'angoisse ; de ses épaules, il rejette ses grandes peaux de martre[2], et reste en son bliaut* de soie. Il a les yeux vairs[3], et le visage très fier ; il a le corps beau et la poitrine large. Il est si beau que tous ses pairs l'admirent. Il dit à Roland : « Fou, quelle rage te prend ?
35 On sait bien que je suis ton parâtre. Pourtant tu veux que j'aille vers Marsile ! Si Dieu me donne d'en revenir, je t'en ferai si grand dommage qu'il durera aussi longtemps que ta vie. »

Roland répond : « C'est orgueil et folie. On sait fort bien
40 que je n'ai cure des menaces. Pour tel message, il faut un homme prudent. Si le roi y consent, je suis prêt à le faire à votre place. »

(21) Ganelon répond : « Tu n'iras pas pour moi. Tu n'es pas mon vassal, et je ne suis pas ton seigneur. Charles me
45 commande de faire son service. J'irai à Saragosse, vers Marsile, mais j'y ferai quelque folie, avant que j'apaise cette grande colère où tu me vois. »

Quand Roland l'entend, il se met à rire.

(22) Quand Ganelon voit que Roland rit de lui, il en a si
50 grande douleur, que peu s'en faut que son cœur ne se brise ; qu'il ne perde le sens. Il dit au comte : « Je ne vous aime pas ; vous avez fait tomber sur moi cet injuste choix.

2. Petit mammifère dont la fourrure sert dans l'habillement.

3. Gris et changeants.

Charlemagne charge Ganelon de l'ambassade auprès du roi Marsile à Saragosse. Derrière lui, Roland et Olivier. *Les Grandes Chroniques de France*, fin XIVe siècle, miniature, BN, Paris.

Droit Empereur, vous me voyez ici, prêt à exécuter vos ordres.

55 *(23)* « À Saragosse, je sais bien qu'il me faut aller. Quiconque y va n'en peut pas revenir. Surtout souvenez-vous que ma femme est votre sœur[4], et que j'ai un fils : il n'en est pas de plus beau. C'est Baudouin, dit-il, qui sera un preux*. À lui, je laisse mes domaines et mes fiefs*. Veillez sur lui,
60 car je ne le verrai plus de mes yeux. »

Charles répond : « Vous avez trop tendre cœur. Puisque je vous le commande, vous y devez aller. »

(24) Le roi dit : « Ganelon, avancez et recevez le bâton et le gant. Vous l'avez entendu, les Francs vous désignent.
65 – Sire, dit Ganelon, Roland a tout fait ; je ne l'aimerai jamais, durant toute ma vie, ni Olivier, parce qu'il est son compagnon, ni les douze pairs, parce qu'ils l'aiment. Je les défie, sous vos yeux. »

Le roi dit : « Vous avez trop de courroux ; vous irez, certes,
70 puisque je le commande. – J'y puis aller, mais sans nulle sauvegarde, pas plus que n'en eurent Basile et son frère Basan[5]. »

(25) L'Empereur lui tend son gant, celui de sa main droite, mais le comte Ganelon aurait bien voulu n'être pas
75 là ; quand il doit prendre le gant, il le laisse choir à terre, et les Français disent : « Dieu ! quel présage est-ce donc ? De ce message va sortir pour nous grande perte. – Seigneurs, dit Ganelon, vous en entendrez des nouvelles. »

(26) « Sire, dit Ganelon, donnez-moi votre congé[6] ; puis-
80 qu'il me faut partir, je ne dois plus tarder. » Le roi dit : « Allez, par le congé de Jésus et par le mien. » De la main droite, il l'a absous[7] et a fait sur lui le signe de la croix. Puis il lui donna le bâton et la lettre[8].

---

4. Berte, sœur de Charlemagne, mère de Roland, a épousé Ganelon en secondes noces.
5. Basile et Basan, émissaires de Charles auprès de Marsile furent décapités sur l'ordre de ce dernier.
6. L'autorisation ou plutôt ici l'ordre de partir.
7. Charles est roi « par la grâce de Dieu » : il accorde à Ganelon le pardon de ses péchés.
8. Il s'agit du message pour Marsile.

Comprendre le texte

I. La mission

1. Le conseil des Francs est réuni pour désigner l'ambassadeur de Charlemagne auprès de Marsile : précisez la nature, l'importance et les risques de la mission qu'il devra remplir. De quelles qualités cet ambassadeur doit-il faire preuve selon les personnages de *La Chanson de Roland* ?

2. Qui se porte volontaire pour cette mission ? Montrez que l'ordre et le contenu des réponses révèle le caractère et le rôle des personnages.

3. Expliquez les réactions de Charlemagne et son refus de choisir Naimes ou l'un des douze pairs.

II. Le messager

4. Pourquoi, selon vous, Roland propose-t-il Ganelon ? Pourquoi les Francs acceptent-ils ce choix ? Finalement, par qui Ganelon a-t-il été désigné ?

5. Ganelon interprète-t-il correctement l'intervention de son beau-fils ? Comment expliquez-vous sa colère ? Contre qui s'exerce-t-elle et comment s'exprime-t-elle ? Pourquoi ne fait-il pas de reproches à Charlemagne ?

6. Pourquoi Roland n'essaie-t-il pas d'apaiser son beau-père ? Montrez que cette attitude complète son portrait.

7. À qui Ganelon pense-t-il avant de partir pour Saragosse ? Cela modifie-t-il l'impression qu'il vous faisait ?

III. Les avertissements

8. Comment le conseil du roi interprète-t-il la chute du gant ? Quelles autres significations peut-on donner à l'incident ? D'autres passages ne laissent-ils pas planer une menace ? Justifiez votre réponse.

Étudier la construction dramatique

1. Comparez ce passage au précédent : dans un tableau à deux colonnes, vous relèverez les points communs et les oppositions.

2. Montrez comment l'alternance du récit et des dialogues fait progresser l'action tout en éclairant le caractère des personnages.

3. La laisse forme une unité de sens : montrez-le en relevant dans chacune des laisses 17 à 20 l'intervention d'un nouveau personnage.

Étudier le vocabulaire

1. Étudiez l'évolution du sens des mots *élire* et *parâtre.*

2. Donnez l'origine et les différents sens du mot *pair.*

3. Recherchez des expressions contenant le mot *gant* et donnez-en le sens.

Étudier les personnages

1. Faites le portrait de Ganelon en dégageant ce qui l'oppose à Roland, mais aussi ce qui les rapproche dans cet épisode.

2. Faites le portrait de Charlemagne.

S'exprimer

1. *Sujet d'imagination.* Un de vos camarades estime avoir été injustement sanctionné par un professeur qui a pour réputation d'être très sévère, et vous charge de plaider sa cause auprès de celui-ci. Vous n'êtes guère rassuré mais vous acceptez la mission. Racontez.

2. *Sujet de réflexion.* Quelles sont, à votre avis, les qualités d'un délégué d'élèves ? Doit-il être *sage* et *prudent* comme le messager que Charles doit choisir ? Est-ce suffisant ?

3. *Débat.* Charlemagne a-t-il bien fait de suivre les conseils de Roland et de désigner Ganelon ?

4. *Exposé.* Charlemagne, le personnage historique.

Se documenter

1. *Tu n'iras pas pour moi. Tu n'es pas mon vassal, et je ne suis pas ton seigneur. Charles me commande de faire son service. J'irai à Saragosse [...]* (l. 43-45). Recherchez dans un manuel d'histoire quels étaient les devoirs qui liaient, à l'époque féodale, le suzerain et le vassal.

2. Quelles sont les valeurs symboliques attachées au gant, au bâton et au chiffre douze ?

Ganelon prête serment sur une idole et jure de livrer Roland.
Ruolantes Liet du prêtre Conrad, vers 1180, dessin à la plume, Heidelberg.

3. La laide trahison

En route pour Saragosse, Blancandrin et Ganelon ourdissent un complot contre Roland qu'ils détestent pour des raisons différentes : pour l'un, le neveu de Charlemagne est le pire ennemi des Sarrasins, pour l'autre, il est la source de ses ennuis. Les voilà maintenant devant Marsile.

(40) Marsile dit : « Ganelon, croyez en vérité que je veux sincèrement vous aimer ; je veux vous entendre parler de Charlemagne ; il est bien vieux, il a fini son temps ; à mon idée, il a deux cents ans passés ! Il a mené son corps par tant
5 de terres ! Il a reçu tant de coups sur son bouclier* ! Il a réduit tant de puissants rois à la mendicité ! Quand donc renoncera-t-il à guerroyer ? »

Ganelon répond : « Charles n'est point ainsi ; il n'y a homme qui le voie, et qui sache le connaître, qui ne dise que 10 c'est un preux*. Je ne saurais assez le louer et le vanter devant vous ; vous ne rencontrerez nulle part plus d'honneur ni plus de bonté. Sa grande valeur, qui pourrait la décrire ? Dieu l'a éclairé d'une telle noblesse ! J'aimerais mieux mourir que de faillir à ses barons. »

15 *(41)* Le païen dit : « C'est pour moi grand sujet d'émerveillement que Charlemagne : il est vieux et chenu* ; à mon idée, il a deux cents ans et plus ! Il a tourmenté son corps à travers tant de terres ! Il a reçu tant de coups de lance* et d'épieu* ! Il a réduit de puissants rois à la mendicité ! Quand 20 donc renoncera-t-il à guerroyer ?

- Ce n'est certes pas, dit Ganelon, tant que vivra son neveu. Il n'est pas un tel preux* sous la chape[1] du ciel ; et c'est un vrai preux* ainsi que son compagnon Olivier ; les douze pairs*, que Charles aime tant, forment l'avant-garde avec vingt mille chevaliers. Charles est tranquille, et ne craint 25 personne. » [...]

(43) « Beau* sire Ganelon, dit le roi Marsile, j'ai une telle armée que vous n'en pourrez voir de plus belle ; je puis avoir quatre cent mille chevaliers ; puis-je combattre Charles et les Français ? »

30 Ganelon répond : « Ne le tentez pas cette fois. Vous y perdrez en masse de vos païens*. Laissez la folie, tenez-vous-en à la sagesse. Donnez tant de richesses à l'Empereur qu'il n'y ait Français qui ne s'en émerveille. Pour vingt otages que vous lui enverrez, le roi s'en retournera en douce France. 35 Il laissera derrière lui son arrière-garde. Je crois que le comte Roland en sera, et avec lui Olivier, le preux et le courtois. Si l'on veut m'en croire, les deux comtes sont morts. Charles verra tomber son grand orgueil, et n'aura plus jamais désir de vous combattre. »

40 *(44)* « Beau sire Ganelon, (dit le roi Marsile), comment m'y prendre pour tuer Roland ? »

Ganelon répond : « Je sais bien vous le dire ; le roi sera aux meilleurs ports* de Cize[2] ; son arrière-garde, il l'aura

---

1. Le manteau (il s'agit d'une métaphore pour désigner la voûte du ciel).

2. Autre nom du col de Roncevaux.

laissée derrière lui. Son neveu, le puissant comte Roland en
45 sera, et Olivier, en qui il a si grande confiance ; ils auront vingt mille Français avec eux. Envoyez contre eux cent mille de vos païens ; que ceux-ci leur livrent une première bataille ; la gent* de France y sera blessée et meurtrie. Je ne nie pas qu'il n'y ait grand massacre des vôtres. Puis, de même, li-
50 vrez-leur une seconde bataille. Roland n'échappera pas à l'une et à l'autre ; alors vous aurez fait un bel exploit et vous n'aurez plus de guerre de toute votre vie. »

(45) « Qui pourrait faire périr Roland là-bas enlèverait à Charles le bras droit de son corps. C'en serait fait des mer-
55 veilleuses armées. Charles n'assemblerait plus de telles forces, et la Grande Terre[3] resterait en repos. »

Quand Marsile entend Ganelon, il le baise au cou ; puis il commence à ouvrir ses trésors.

(46) Marsile dit simplement – car point n'est besoin de
60 discours – : « Ce n'est pas assez d'un conseil, il me faut une garantie. Jurez-moi de trahir Roland. »

Ganelon répond : « Qu'il en soit comme il vous plaît. » Sur les reliques de son épée* Murgleis, il jure la trahison : voilà qu'il a forfait[4].

65

Comprendre le texte

I. Les félons*

1. Précisez exactement quels sont les intérêts de Marsile et de Ganelon : montrez en quoi ils coïncident et en quoi ils divergent.

2. Pourquoi Ganelon cherche-t-il à convaincre Marsile de s'attaquer au seul Roland et de ne pas affronter Charlemagne ? Comment y parvient-il ?

3. Les forces en présence : vous semblent-elles égales ? Qui détient la supériorité numérique ? Pourquoi Marsile hésite-t-il à attaquer Charlemagne ? Qu'attend-il de Ganelon ? En quoi celui-ci va-t-il au-delà de ses espérances ?

---

3. La France.
4. Trahi, il a agi en dehors (fors) du devoir ; ce verbe n'est plus usité mais quel est le sens du nom « forfait » en français moderne ?

4. Expliquez le plan de Ganelon. En quoi la tactique qu'il propose est-elle déloyale pour les Francs mais aussi insultante pour les Sarrasins ? Est-il surprenant que Marsile l'accepte ? D'après ce passage, quels sont les sentiments de l'auteur à l'égard des Sarrasins ?

5. Dans la laisse 43, Ganelon, dit que, *cette fois*, l'attaque frontale est *folie*, la trahison est *sagesse* : en quoi l'emploi des mots sagesse et folie est-il déroutant ici ?

6. Comment Ganelon s'engage-t-il auprès de Marsile (laisse 46) ? Pourquoi peut-on dire que cet engagement à trahir est exprimé de façon paradoxale ?

II. Les héros

7. Marsile et Ganelon brossent tour à tour le portrait de Charlemagne : quels sentiments éprouvent-ils à son égard ? Quels traits du personnage ces deux portraits font-ils ressortir ?

8. Ganelon esquisse également un portrait de Roland : quelles qualités et quel rôle lui attribue-t-il ? Pour quelles raisons parle-t-il de lui en termes aussi élogieux ?

Analyser les techniques d'écriture

Les répétitions

Relevez de la laisse 40 à la laisse 45 les passages qui se répètent. Montrez qu'ils contiennent cependant d'une laisse à l'autre des informations supplémentaires qui font progresser l'action ou des commentaires qui jettent un éclairage nouveau sur la situation.

Étudier le vocabulaire

1. Relevez dans le texte les mots appartenant au champ lexical de la trahison et complétez-le par une recherche personnelle.

2. *La gent de France* : le mot *gent* désigne ici l'armée. Quel est son sens premier ? Quelle en est l'origine étymologique ? En quoi en explique-t-elle le sens ? Recherchez d'autres mots de la même famille. De ces deux expressions : « la gent féminine » et la « gente féminine », laquelle est grammaticalement incorrecte et pourquoi ? Quelle est la nature du mot « gente » dans l'expression « gente dame » ?

3. *Le bras droit de son corps* (l. 55) : que veut dire aujourd'hui l'expression « être le bras droit de quelqu'un » ? En quoi l'expression médiévale est-elle plus imagée ?

S'exprimer

Sujet d'imagination. Imaginez les réactions de Marsile, s'il était un roi courageux et loyal, aux propositions de Ganelon.

Se documenter

1. Recherchez quelques exemples de trahison dans la littérature ou dans l'Histoire.

2. Les échanges d'otages au Moyen Âge : leur rôle et leurs modalités.

3. Après avoir pris connaissance des deux documents suivants, vous direz pourquoi et jusqu'à quel point Ganelon est lié par le serment qu'il prête à Marsile.

DOCUMENT 1

Reliques (du latin *reliquæ*, restes). Ce sont les restes d'un saint après sa mort. Sont également considérés comme reliques des objets ayant appartenu au saint, ses vêtements, éventuellement des instruments ayant servi à son martyre.

Héritages, la culture occidentale dans ses racines religieuses,
J-P Hammel, M. Ladrière, Éd. Hatier, 1991.

DOCUMENT 2

Fort d'une justice rigoureuse, ce même roi sérénissime (Robert le Pieux) s'appliquait à ne point souiller sa bouche par des mensonges, mais au contraire à établir la vérité dans son cœur et dans sa bouche ; et il jurait assidûment par la foi du Seigneur notre Dieu. C'est pourquoi, voulant rendre aussi purs que lui-même [en les soustrayant au parjure] ceux de qui il recevait le serment, il avait fait faire un reliquaire de cristal, décoré tout autour d'or fin, mais vide de toute relique de saint, sur lequel juraient ses grands, ignorants de sa pieuse fraude.

Epitoma vitae regis Roberti pii (Vie de Robert le Pieux),
Helgaud (1031-1041) cité par G. Duby dans *L'An mil,*
éd. Gallimard et Julliard, 1980.

4. Les reliques conservées dans des sanctuaires (abbayes, églises ou cathédrales) donnaient lieu à de grands pèlerinages : lesquels connaissez-vous ?

4. Roland nommé à l'arrière-garde

Ganelon, de retour auprès de Charles, le convainc que Marsile est prêt à conclure la paix. Les Francs vont donc passer les Pyrénées pour rentrer en France. Auparavant, il s'agit de décider à qui l'on confiera le commandement de l'arrière-garde, poste-clé pour la sécurité de l'armée en marche, mais aussi fort exposé aux coups de l'ennemi.

(58) La nuit s'achève, et l'aube claire apparaît ; au milieu de son armée l'Empereur chevauche très fièrement. « Seigneurs barons, dit l'Empereur Charles, voyez les ports* et les étroits passages ; choisissez-moi donc qui sera à l'arrière-
5 garde ? » Ganelon répond : « Roland, mon beau-fils que voici. Vous n'avez baron d'aussi grande bavoure. »

Le roi l'entend, le regarde durement ; puis il lui dit : « Vous êtes le démon en personne, une rage mortelle vous est entrée au corps. Et qui sera devant moi, à l'avant-garde ? » Ganelon
10 répond : « Ogier de Danemark ; vous n'avez baron qui mieux que lui la fasse. »

(59) Le comte Roland, quand il s'entend désigner, parle en vrai chevalier* : « Sire parâtre*, je vous dois beaucoup chérir ; vous m'avez attribué l'arrière-garde. Charles, qui
15 tient la France, n'y perdra, à mon escient[1], palefroi* ni destrier*, mulet ni mule qu'il doive chevaucher, il n'y perdra ni cheval de selle ni cheval de somme, avant qu'on ne l'ait disputé à coups d'épée. » Ganelon répond : « Vous dites vrai, je le sais bien. »

20 *(60)* Quand Roland entend qu'il sera à l'arrière-garde, il parle à son parâtre* en grande colère : « Ah ! misérable, mauvais homme de vile race ! Pensais-tu que j'allais laisser choir le gant* à terre, comme toi, le bâton* devant Charles ? »

---

1. À ma connaissance.

(61) « Droit Empereur, dit Roland le baron, donnez-moi
25 l'arc[2] que vous tenez au poing. J'en suis bien sûr, on ne me reprochera pas de l'avoir laissé tomber, comme est tombé de la main droite de Ganelon le bâton qu'il reçut. »

L'Empereur tient la tête baissée, il tire sa barbe ; il tord sa moustache : il ne peut s'empêcher de pleurer.

30 *(62)* Ensuite est venu Naimes ; il n'y a pas de meilleur vassal en toute la cour. Il dit au roi : « Vous l'avez entendu. Le comte Roland est dans un grand courroux ; on l'a désigné pour l'arrière-garde, et vous n'avez point de baron qui s'en charge à sa place. Donnez-lui l'arc que vous avez tendu, et
35 trouvez-lui qui puisse bien l'aider. »

Charlemagne remet solennellement l'épée Durandal et le cor Olivant à Roland. L'archevêque Turpin et Olivier se tiennent derrière Roland.
Karl der Grosse du Stricker, détail, vers 1300, miniature, Saint-Gall, Suisse.

---

2. Symbole d'investiture comme le gant ou le bâton ; l'arc n'est pas l'arme des chevaliers mais c'est peut-être un lointain souvenir des âges héroïques (voir p. 116-117).

Le roi lui donne l'arc et Roland l'a reçu.

(63) L'Empereur s'adresse à son neveu Roland : « Beau* sire neveu, vous le savez, en vérité, c'est la moitié de mon armée que je vous offre et vous laisserai ; gardez-la avec
40 vous, c'est votre salut. » Le comte dit : « Je n'en ferai rien. Dieu me confonde, si je démens ma race[3] ! Je garderai vingt mille Français très braves. Passez les ports* en toute sécurité ; vous auriez tort de craindre nul homme, moi vivant ! »

(64) Le comte Roland est monté sur son destrier ; près
45 de lui s'en vient son compagnon Olivier, puis Gérin et le preux comte Gérier, et puis Othon et Bérenger, et Astor et Anséis le fier, et Girard de Roussillon, le vieux et riche duc Gaifier. L'archevêque dit : « Par ma tête, j'irai. – Et j'irai avec vous dit le comte Gautier. Je suis l'homme de Roland
50 et ne doit point le laisser. » Entre eux, ils se choisissent vingt mille chevaliers.

Comprendre le texte

1. Montrez, en vous appuyant sur le texte, que par rapport au deuxième extrait, si la situation initiale est identique, les rôles de Ganelon et Roland sont inversés.

2. Dans quelle mesure la réponse de Ganelon à la question de Charles (laisse 58) est-elle habile ?

3. Comment expliquer la colère de Charlemagne à la proposition de Ganelon ? Comparez son attitude dans ce passage à celle qu'il adopte dans les laisses 18 et 19.

4. Quelle est la réaction de Roland ? En quoi complète-t-elle son portrait psychologique ? Comment Roland souligne-t-il ce qui l'oppose à son beau-père ?

5. Charlemagne voit les risques encourus par son neveu. Pourquoi ne confie-t-il pas cette mission à quelqu'un d'autre ? Que propose-t-il à Roland ? Pourquoi celui-ci refuse-t-il cette offre ? A quoi s'engage-t-il à deux reprises ?

---

3. Au sens originel de sang, famille.

Étudier les personnages

Les pairs

Certains sont de véritables personnages dotés d'une épaisseur psychologique et d'un rôle dramatique : lesquels ? D'autres sont simplement caractérisés par des formules signalant une qualité, une fonction sociale ou se réduisent à de simples noms : lesquels (laisse 64) ? Quel est l'effet recherché dans ce cas par l'auteur ?

Étudier le vocabulaire

Recherchez l'origine étymologique des mots *comte, duc* et *marquis* afin de préciser leur sens dans le texte et les raisons pour lesquelles ils peuvent être utilisés indifféremment pour une même personne. Quel est le sens moderne de ces mots ?

Se documenter

1. Qu'est-ce qui distingue le roi de l'empereur ? pourquoi Charlemagne est-il à la fois l'un et l'autre ?

2. Qu'est-ce que l'avant-garde et l'arrière-garde d'une armée en marche ? Expliquez pourquoi ces postes sont particulièrement importants et dangereux à la fois.

Charlemagne et son armée quittent Roland et les pairs.
Karl der Grosse du Stricker, détail, vers 1300, miniature, Saint-Gall, Suisse.

5. La bataille : Olivier demande à Roland de sonner du cor

Les Francs quittent l'Espagne pour regagner la France : Ogier à l'avant-garde ; Charles, au centre, franchit les Pyrénées ; Roland et l'arrière-garde couvrent sa marche et s'engagent dans le col de Roncevaux. Le piège de Ganelon se referme : une première armée de cent mille Sarrasins commandée par Aelroth, le neveu de Marsile, va attaquer les vingt mille Français.

(80) Olivier est monté sur une hauteur, il regarde à droite parmi un val herbeux ; il voit venir la gent* païenne*. Il appelle Roland son compagnon : « Du côté de l'Espagne, quelle rumeur j'entends venir ! Que de blancs hauberts*, que
5 de heaumes* flamboyants ! Nos Français vont entrer en grande fureur. Ganelon le savait, le félon*, le traître, qui nous a désignés devant l'Empereur. – Tais-toi, Olivier, répond le comte Roland, c'est mon parâtre* ; je ne veux pas que tu en sonnes un mot. »
10 *(81)* Olivier est monté sur une hauteur ; il voit nettement le royaume d'Espagne et les Sarrasins assemblés en grand nombre. Les heaumes luisent, aux gemmes[1] serties d'or, et les écus*, et les hauberts brodés[2], et les épieux*, et les gonfanons* attachés aux lances. Olivier ne peut pas compter leurs
15 bataillons : il y en a tant, qu'il n'en sait pas le nombre.

En lui-même, il est tout égaré ; le plus tôt qu'il a pu, il est redescendu de la hauteur, il est venu vers les Français et leur a tout conté.

---

1. Pierres précieuses.
2. Les hauberts étaient brodés de fil safran.

(82) Olivier dit : « J'ai vu les païens ; jamais homme sur terre n'en vit davantage. Ils sont cent mille devant nous, avec des écus, des heaumes lacés et de blancs hauberts, les lances droites, de bruns épieux luisants ! Vous aurez bataille, telle qu'il n'y en eut jamais. Seigneurs Français, que Dieu vous donne sa force : tenez-vous bien dans le combat, que nous ne soyons pas vaincus ! »

Les Français disent : « Maudit qui s'enfuit ! Nul ne se dérobera à la mort. »

(83) Olivier dit : « Les païens ont grande force, et nos Français semblent être peu nombreux. Compagnon Roland, sonnez de votre cor. Charles l'entendra, et l'armée reviendra. »

Roland répond : « Je ferais une folie. En douce France, j'en perdrais ma gloire. Sur le champ je frapperai de grands coups avec Durendal : sa lame en sera sanglante jusqu'à l'or de la garde[3]. Les félons païens sont venus pour leur malheur en ces ports* ; je vous le jure, ils sont tous condamnés à mort. »

(84) « Compagnon Roland, sonnez donc votre olifant*. Charles l'entendra et fera revenir l'armée ; le roi et ses barons viendront nous secourir. »

Roland répond : « Ne plaise au Seigneur Dieu que pour moi mes parents soient blâmés, et que France la douce tombe en déshonneur. Je frapperai de grands coups de Durendal, ma bonne épée* que j'ai ceinte au côté. Vous en verrez toute la lame ensanglantée. Les félons païens se sont réunis ici pour leur malheur ; je vous le jure, ils sont tous livrés à la mort. »

(85) « Compagnon Roland, sonnez votre olifant. Charles l'entendra, lui qui passe aux ports ; je vous le jure, les Français reviendront en arrière. »

« Ne plaise à Dieu, lui répond Roland, qu'homme vivant puisse jamais dire qu'à cause des païens j'ai sonné du cor. On ne fera jamais tel reproche à mes parents. Quand je serai en pleine bataille, je frapperai mille et sept cents coups, vous verrez l'acier de Durendal tout sanglant. Les Français sont braves, ils frapperont vaillamment. Les gens d'Espagne n'échapperont pas à la mort. »

---

3. Pièce de métal placée entre la lame et la poignée de l'épée et qui sert à protéger la main.

(86) Olivier répond : « Je ne sais pas pourquoi on vous blâmerait ; j'ai vu les Sarrasins d'Espagne ; les vallées et les monts en sont couverts, et les collines, et toutes les plaines. Grandes sont les armées de la gent étrangère ; nous n'avons, nous, qu'une toute petite troupe. »

Roland répond : « Mon ardeur s'en augmente ! Ne plaise au seigneur Dieu, ni à ses anges, que la France perde son honneur à cause de moi. Mieux vaut la mort que la honte ! C'est pour nos beaux coups que l'Empereur nous aime davantage. »

(87) Roland est preux*, et Olivier est sage. Tous deux sont d'une merveilleuse bravoure. Et puisqu'ils sont à cheval et en armes, ils aimeraient mieux mourir que se dérober à la bataille. Les comtes sont braves, et leurs paroles sont fières. Les païens félons chevauchent en grande fureur.

Olivier dit : « Roland, voyez leur nombre ; ils sont tout près de nous, et Charles est trop loin ; vous n'avez pas daigné sonner votre olifant ; le roi serait venu, nous aurions évité le désastre. Regardez en haut, vers les ports d'Espagne ; vous pouvez voir bien triste arrière-garde. Qui s'y trouve, ne fera plus partie d'une autre. »

Roland répond : « Ne parlez pas comme un insensé ! Maudit qui porte un lâche cœur au ventre. Nous tiendrons ferme, et c'est de nous que viendront les coups et les mêlées ! »

(88) Quand Roland voit qu'il y aura bataille, il devient plus fier qu'un lion ou qu'un léopard.

Il s'adresse aux Français, il appelle Olivier : « Seigneur compagnon, ami, ne parlez plus ainsi. L'Empereur qui nous a laissé des Français a mis à part ces vingt mille hommes, sachant bien qu'il n'y a pas un lâche parmi eux. Pour son seigneur, un homme doit souffrir de grands maux, endurer les grands froids, les grands chauds ; il doit perdre du sang et de la chair. Frappe de ta lance, je frapperai de Durendal, ma bonne épée, que le roi me donna ; si je meurs, qui l'aura pourra dire qu'elle appartint à vaillant chevalier. »

(89) D'autre part, voici l'archevêque Turpin ; il pique son cheval et monte sur une hauteur ; il appelle les Français et leur fait ce sermon : « Seigneurs barons, Charles nous a laissés ici : nous devons bien mourir pour notre roi. Aidez à soutenir la chrétienté. Vous aurez bataille, vous en êtes bien sûrs : car vous voyez les Sarrasins sous vos yeux. Battez

votre coulpe[4], et demandez à Dieu merci[5]. Je vais vous absoudre[6] pour sauver vos âmes. Si vous mourez, vous serez
100 de saints martyrs[7] et vous siégerez au plus haut paradis. »

Les Français descendent de cheval et s'agenouillent à terre : l'archevêque les bénit au nom de Dieu ; pour pénitence[8], il leur ordonne de bien frapper.

(90) Les Français se relèvent, se mettent sur leurs pieds ;
105 les voilà bien absous, quittes de leurs péchés, et l'archevêque les bénit au nom de Dieu ; puis ils sont montés sur leurs destriers* rapides. Ils sont armés à la façon des chevaliers*, et tout préparés pour la bataille.

Le comte Roland appelle Olivier : « Sire compagnon, vous
110 l'avez très bien dit, Ganelon nous a tous trahis ; il a accepté de l'or, des richesses, des deniers[9]. L'Empereur devrait bien nous venger. Le roi Marsile a fait marché de nous : c'est à coups d'épée qu'il devra le payer. »

Comprendre le texte

1. Quel personnage voit le premier l'armée ennemie ? En quoi cela éclaire-t-il le lecteur sur son caractère et sur son rôle ?

2. Quel conseil Olivier donne-t-il à Roland ? Pourquoi n'est-il pas écouté ?

3. Étudiez en quoi s'opposent les arguments des deux héros. Quelle formule résume cette opposition ?

4. Quels sont les devoirs du vassal envers le suzerain, selon Roland ? selon Turpin ?

5. À qui s'adresse le discours de l'archevêque Turpin ? À quoi sert-il ?

6. Dans la laisse 90, Roland finit par donner raison au moins sur un point à Olivier, lequel ?

---

4. Du latin *culpa*, faute. C'est se repentir à voix haute, en disant *mea culpa*, « c'est ma faute », et en se frappant la poitrine.
5. Demander pardon pour ses péchés.
6. Pardonner les péchés : l'évêque est le représentant du Christ sur terre.
7. Du mot grec qui signifie « témoin » ; personne morte pour la défense de sa foi.
8. Du latin *paenitentia*, repentir ; désigne ici l'épreuve imposée pour manifester ce repentir.
9. Ancienne monnaie romaine ; il y a là sans doute une allusion aux trente deniers reçus par Judas pour avoir trahi le Christ.

7. Quels sont les mobiles de la trahison de Ganelon selon Roland (laisse 90) ? Êtes-vous d'accord avec cette interprétation ? Pourquoi ?

8. Décrivez l'attitude des Français dans ce passage : quelles sont leurs qualités essentielles ? De quels atouts disposent les Sarrasins ?

Étudier le vocabulaire

1. *Olivier ne peut pas compter leurs bataillons : il y en a tant, qu'il n'en sait pas le nombre.* Et pourtant il affirme : *Ils sont cent mille devant nous.* Comment expliquez-vous cette apparente contradiction ? Roland annonce qu'il frappera *mille et sept cents coups* : que pensez-vous de ce nombre ? De quelles expressions modernes pouvez-vous le rapprocher ?

2. Relevez les termes qui décrivent l'armement des Sarrasins : que pouvez-vous en conclure de la « documentation » et des connaissances de l'auteur à leur sujet ?

3. Le mot *olifant,* avant de désigner un cor taillé dans une défense d'ivoire, désignait, en ancien français, l'éléphant qui en a fourni la matière première ! Quel est le nom de cette figure de style qui consiste à désigner la partie par le tout ? Observez les différences orthographiques entre « olifant » et « éléphant » : que peut-on conclure au sujet de la graphie médiévale par opposition à l'orthographe moderne ?

4. *Rollant est proz e Olivier est sage,* est-il dit à la laisse 87, soit, en traduction littérale : « Roland est preux et Olivier est sage ». Quel est, dans *La Chanson de Roland,* le sens du mot *preux* ? Un traducteur contemporain propose pour ce vers la transposition suivante : *Roland est téméraire et Olivier réfléchi.* Justifiez, par l'étude du contexte, cette valeur dépréciative donnée ici, par exception, à *proz.* Pour votre part, quel synonyme donneriez-vous ici à *preux* ? Si Olivier est *sage,* pourquoi Roland le traite-t-il d'*insensé* (laisse 87) ?

5. Comparez le discours de Roland aux Français (laisse 88) à celui de Turpin (laisse 89) : le vocabulaire est-il identique ? Quels sont les champs lexicaux dominants ?

6. *Quand Roland voit qu'il y aura bataille, il devient plus fier qu'un lion ou qu'un léopard* (laisse 88). Recherchez l'origine du mot *fier* et précisez le sens qu'il prend dans cette phrase. Pourquoi l'auteur compare-t-il Roland à un lion ou à un léopard ? Quelles indications cette phrase donne-t-elle sur Roland et sur la façon dont l'auteur conçoit le combat ?

Analyser les techniques d'écriture

L'amplification

Les quelques centaines de Basques qui auraient effectivement attaqué l'arrière-garde de Charlemagne à Roncevaux sont devenus cent mille Sarrasins : quelles transformations l'auteur a-t-il fait subir à l'histoire ? Quelles étaient ses intentions ?

L'anaphore

L'anaphore est la répétititon en début de phrase, de vers ou de paragraphe d'un même mot, d'une même expression ou d'une même phrase. Relevez toutes les anaphores de ce passage et précisez leur valeur stylistique.

Étudier les personnages

Faites le portrait moral d'Olivier, de Roland et de Turpin et précisez leurs rôles en utilisant les renseignements fournis par les différentes étapes du récit, les propos qu'ils tiennent, et les réponses que vous avez données aux questions précédentes.

S'exprimer

Sujet de réflexion. Roland est preux et Olivier est sage. Pensez-vous que la sagesse, comme le laisserait supposer une lecture hâtive de cette phrase, s'oppose au courage ? Vous confronterez les différents points de vue, de manière ordonnée, en vous appuyant sur des exemples précis.

6. Le combat

(93) Le neveu de Marsile – il se nomme Aelroth – chevauche tout le premier devant l'armée ; il va, criblant d'insultes nos Français : « Français félons*, aujourd'hui vous allez vous mesurer avec les nôtres.

La bataille de Roncevaux.
XIIIe siècle, miniature, Bibliothèque Sainte-Geneviève, Paris.

5 Il vous a trahis, celui qui devait vous défendre. Fol est le roi qui vous laissa dans ces ports*. Aujourd'hui, France la douce va perdre son honneur, et Charlemagne le bras droit de son corps. »

Quand Roland l'entend, Dieu ! quelle douleur il en a ! Il 10 éperonne son cheval, il le lance à toute bride, et frappe le païen* le plus fort qu'il peut. Il lui brise l'écu*, déchire le haubert*, tranche la poitrine, brise les os, et fend toute l'échine ; de son épieu*, il lui arrache l'âme du corps ; il le frappe si fort qu'il ébranle le corps et à pleine lance l'abat 15 de son cheval, et le cou est coupé en deux moitiés.

Mais Roland ne laissera pas de lui parler : « Va donc, misérable, Charles n'est pas fou, il n'a jamais aimé la trahison ; il a agi en preux*, en nous laissant aux ports ; la douce France n'en perdra pas aujourd'hui son honneur. Frappez, 20 Français, nôtre est le premier coup ! Nous avons le droit, et ces gloutons* le tort ! »

(94) Il y a là un duc, du nom de Falsaron : c'est le frère du roi Marsile. Il tient la terre de Dathan et d'Abiron[1], point n'est sous le ciel pire félon ; entre les deux yeux, il a un front 25 énorme, on pourrait y mesurer un grand demi-pied. Il a grand deuil quand il voit son neveu mort, il sort de la presse et se jette en avant, clame le cri de guerre des païens, et injurie les Français : « Aujourd'hui, France la douce va perdre son honneur ! »

30 Olivier l'entend, et il en a grande colère ; il pique son cheval de ses éperons d'or, et va frapper Falsaron d'un coup de vrai baron ; il lui brise l'écu, rompt le haubert, lui plonge au corps les pans de son gonfanon*, et à pleine lance lui fait vider les arçons[2] et l'abat mort. Il regarde à terre, et voyant 35 le glouton étendu, il lui dit ces fières paroles : « De vos menaces, misérables, je n'ai point souci. Frappez, Français, car nous les vaincrons très bien. » Il crie : « Montjoie ! », le cri de guerre de Charles.

Turpin et les pairs livrent, à leur tour, une série de duels victorieux.

---

1. Personnages de l'Ancien Testament, révoltés contre Moïse.

2. Être jeté à bas de la selle.

(104) La bataille est merveilleuse et générale. Le comte 40 Roland ne craint pas de s'exposer. Il frappe de sa lance tant que la hampe[3] lui dure, mais quinze coups l'ont brisée et rompue. Il tire Durendal, sa bonne épée* nue, éperonne son cheval et va frapper Chernuble ; il lui rompt le heaume* où luisent des escarboucles[4], il lui tranche la coiffe[5] et la che- 45 velure, et les yeux et le visage, et le blanc haubert dont la maille est très fine, et tout le corps jusqu'à l'enfourchure[6] ; à travers la selle incrustée d'or l'épée pénètre dans le dos du cheval, tranche l'échine sans chercher la jointure, et abat morts l'homme et la bête, dans le pré, sur l'herbe drue.

50 Roland dit ensuite : « Misérable ! tu vins ici pour ton malheur. Mahomet ne te secourra point. Un glouton comme toi ne gagnera pas la bataille. » [...]

(106) Olivier chevauche à travers la mêlée, sa lance est brisée, il n'en a plus qu'un tronçon ; il va frapper un païen, 55 Malon ; il lui brise l'écu, couvert d'or et de fleurons[7], lui fait jaillir les deux yeux de la tête et la cervelle tombe jusqu'à ses pieds : il le renverse mort parmi sept cents des siens.

Puis il a tué Turgis et Estorgous ; mais il a rompu et brisé sa lance au ras de son poing. Roland lui dit : « Compagnon, 60 que faites-vous ? En telle bataille, point n'est besoin de bâton. Le fer et l'acier seuls valent quelque chose. Où est votre épée que l'on nomme Hauteclaire ? La garde en est d'or, le pommeau de cristal. - Je ne puis la tirer, lui répond Olivier, car j'ai trop à faire de frapper ! » [...]

65 *(109)* Cependant la bataille est devenue plus dure : les Français et les païens échangent des coups merveilleux. Les uns attaquent, les autres se défendent. Que de lances brisées et sanglantes, que de gonfanons et d'enseignes[8] en lambeaux ! Que de bons Français perdent là leur jeune vie : ils ne rever- 70 ront point leurs mères ni leurs femmes, ni ceux de France qui les attendent aux ports. Charlemagne en pleure et se lamente. À quoi bon ? Ils n'auront pas son secours.

---

3. Manche de la lance.
4. Pierres précieuses.
5. Capuchon du haubert qui protège la nuque et qui est recouvert par le heaume.
6. Entrejambe.
7. Ornements en forme de fleurs.
8. Drapeau ou symbole de commandement.
9. Il s'agit du Mont-Saint-Michel.
10. De localisation incertaine, ou Sens.
11. Dans le Pas-de-Calais.

(110) La bataille est merveilleuse et pesante. Olivier et Roland frappent vigoureusement. L'Archevêque rend plus de
75 mille coups, les douze pairs* ne sont pas en reste, et les Français frappent tous ensemble. Les païens meurent par cents et par mille : qui ne s'enfuit n'a aucun secours contre la mort. Bon gré, mal gré, tous y laissent leur vie. Les Français y perdent leurs meilleurs défenseurs, qui ne reverront
80 point leurs pères ni leurs parents, ni Charlemagne, qui les attend aux ports.

En France, il y a une merveilleuse tourmente, tempête de tonnerre et de vent, pluie et grêle démesurément, foudres tombant et menu et souvent, et, en toute vérité, tremblement
85 de terre. De Saint-Michel-du-Péril[9] jusqu'aux Saints[10], de Besançon jusqu'au port de Wissant[11], pas une maison dont les murs ne crèvent ; et à midi il y a de grandes ténèbres. Point de clarté, sinon quand les éclairs fendent le ciel.

Scènes de la bataille de Roncevaux (p. 45, 46 et 48).
Miroir historial de Jean de Vignay, 1496, dessin à la gouache, BN, Paris.

Tous ceux qui voient ces choses s'épouvantent, et certains
90 disent : « C'est la fin du monde, la consommation de ce siècle ! »
Ils ne disent ni ne savent la vérité : c'est le deuil
95 pour la mort de Roland !

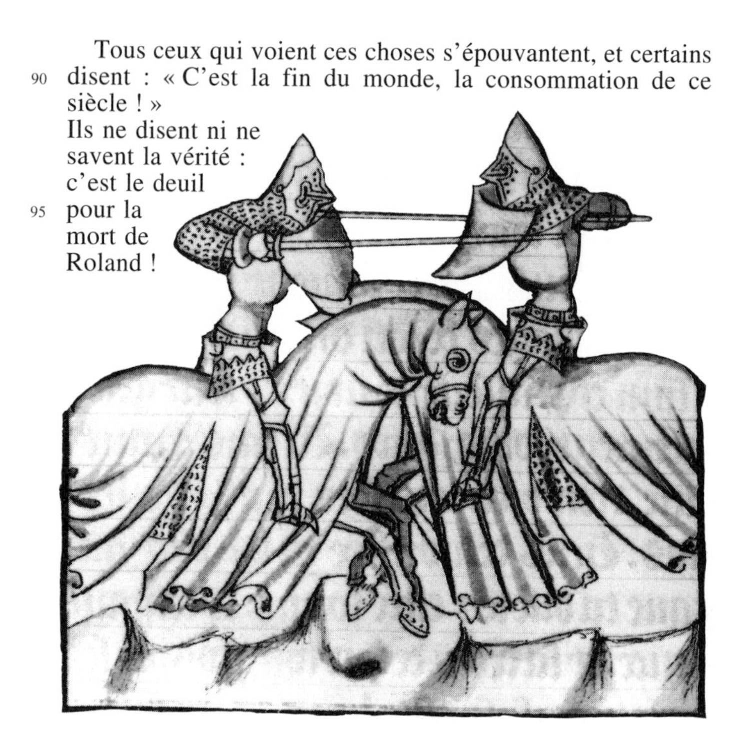

Comprendre le texte

I. La bataille

1. Comment se déroule cette première attaque ? Distinguez-en les étapes en relevant les formules qui marquent le passage de l'une à l'autre. Quelle impression le passage des duels à la mêlée générale laisse-t-il ?

2. Quel camp l'emporte dans ce premier assaut ? Quel passage montre cependant que la victoire n'est que provisoire ?

II. Les duels

3. Étudiez l'organisation des deux premières laisses en dégageant ce qu'elles ont de commun. Montrez comment elles suggèrent que le bon droit est du côté des Français.

4. Le fait que des duels (ou combats singuliers) opposent les chefs et les héros des deux armées est caractéristique de l'épopée et de la chanson de geste : en quoi sont-ils pourtant surprenants d'un point de vue tactique sur ce champ de bataille où s'affrontent 125 000 hommes ? Les exploits guerriers de Roland et Olivier vous semblent-ils vraisemblables ? Pourquoi ? L'auteur est-il totalement dupe ?

III. Les combattants

5. Montrez comment les Sarrasins s'opposent aux Francs tant par la richesse du costume, de l'armement et l'apparence physique que par leurs caractéristiques morales (laisses 94, 104, 106).

6. Qu'est-ce qu'un *archevêque* ? La présence d'un tel personnage dans une bataille n'est-elle pas surprenante ? Comment se justifie-t-elle ici ?

IV. Une bataille « prodigieuse »

7. Dans la laisse 110, la bataille semble s'étendre bien au-delà du théâtre des opérations : de quelle manière ? Comment sont interprétées les catastrophes naturelles qui se produisent à ce moment par ceux qui en sont témoins ? Quelle en est la véritable signification selon l'auteur ? En quoi ce passage est-il un témoignage sur les mentalités de l'époque ?

Étudier la construction dramatique

La fonction des répétitions

1. Les laisses 94 et 106 sont-elles de simples répétitions de celles qui les précèdent ? Quelles informations apportent-elles ?

2. La laisse 110 apporte-t-elle des informations nouvelles quant au déroulement du combat ? Quelle est sa fonction essentielle ?

3. Relevez les répétitions dans la laisse 110 : quels effets produisent-elles ?

Étudier le vocabulaire

La bataille est merveilleuse et pesante [...] *il y a une merveilleuse tourmente* (laisse 110) : expliquez le sens du mot *merveilleux* dans le texte. Cherchez les autres sens que ce mot peut avoir, en particulier aujourd'hui.

S'exprimer

Initiation au commentaire composé : vous rédigerez un commentaire ordonné de la laisse 110 en montrant comment et pourquoi l'annonce de la mort de Roland par la nature tout entière lui donne un aspect surnaturel ou religieux.

Se documenter

1. Roland *tire Durendal, sa bonne épée* et dit à Olivier : *Où est votre épée que l'on nomme Hauteclaire ?* L'épée des chevaliers porte un nom : trouvez-en d'autres exemples dans *La Chanson de Roland* et dans d'autres récits médiévaux.

2. *De Saint-Michel-du-Péril jusqu'aux Saints, de Besançon jusqu'au port de Wissant :* situez sur une carte ces noms de ville et dites de quel domaine ils fixent les limites : s'agit-il de l'empire de Charlemagne ?

3. Lisez dans le chant XXII de l'*Iliade*, le combat qui oppose Achille et Hector, et dans le livre XII de l'*Enéide*, le combat d'Énée et Turnus. Vous relèverez les éléments qui les rapprochent et ceux qui les éloignent des combats de *La Chanson de Roland*.

Roland et Turpin encerclés par les Sarrasins. Roland sonne du cor.
Karl der Grosse du Stricker, détail, vers 1300, miniature, Saint-Gall, Suisse.

7. Roland sonne du cor

Au prix de lourdes pertes, les Francs ont écrasé Aelroth ; mais voici que Marsile arrive avec le gros de ses troupes.

(115) Les Français voient qu'il y a tant de païens*, que la plaine en est couverte. Souvent ils appellent Olivier et Roland et les douze pairs*, pour avoir leur secours.

Et l'Archevêque leur dit toute sa pensée : « Seigneurs barons, pas de lâches craintes ! Au nom de Dieu, n'allez point fuir ! Il ne faut pas que les vaillants chantent sur nous de mauvaises chansons. Bien mieux vaut mourir en combattant. Il est bien certain qu'ici même nous allons mourir ; ce jour passé, nous ne serons plus en vie. Mais il est une chose dont je suis garant, c'est que le saint paradis vous attend, et que vous allez vous asseoir près des Innocents ! « À ces mots, les Francs reprennent de la joie au cœur, ils se mettent tous à crier : « Montjoie ! »

[...]

15 *(128)* Le comte Roland voit le grand massacre des siens, il s'adresse à son compagnon Olivier : « Beau* seigneur, cher compagnon, au nom de Dieu qui puisse vous bénir, voyez tous ces bons vassaux qui gisent à terre ! Nous pouvons plaindre France la douce, la belle, qui va demeurer veuve de tels
20 barons* ! Ah ! roi, notre ami, que n'êtes vous ici ? Olivier, mon frère, comment pourrons-nous faire ? Comment lui ferons-nous savoir des nouvelles ? »

Olivier dit : « Je ne sais comment, mais mieux vaut la mort que si on devait en parler à notre honte ! »

25 *(129)* Roland dit : « Je vais sonner mon olifant*, Charles l'entendra, lui qui passe les ports* ; je vous le jure, les Francs reviendront sur leurs pas. »

Olivier dit : « Ce serait grande honte : on en ferait reproche à vos parents, et ce déshonneur les suivrait leur vie en-
30 tière. Quand je vous l'ai dit, vous n'en fîtes rien ; maintenant, je ne vous approuverai pas de le faire : si vous cornez, ce ne sera pas vaillance ! Et vous avez déjà les deux bras tout sanglants ! » Le comte répond : « C'est que j'ai donné de beaux coups ! »

35 *(130)* Roland dit : « Notre bataille est rude, je vais sonner du cor. Le roi Charles l'entendra. »

Olivier dit : « Ce serait manquer de courage. Quand je vous l'ai dit, compagnon, vous n'avez pas daigné le faire. Si le roi avait été ici, nous n'aurions pas subi le désastre. Ceux qui
40 gisent là n'en doivent pas recevoir le blâme. Par ma barbe ! si je peux revoir ma gente sœur Aude, vous ne serez jamais dans ses bras ! »

(131) Roland dit : « Pourquoi me porter rancune ? » L'autre répond : « Compagnon, c'est votre faute. La bravoure
45 sensée n'a rien à voir avec la folie. La mesure vaut mieux que la témérité. Votre imprudence a causé la mort des Français ; nous ne servirons plus jamais le roi Charles. Si vous m'aviez cru, mon seigneur serait venu, et nous aurions gagné la bataille : ou pris ou mort serait le roi Marsile. Votre
50 prouesse, Roland, c'est pour notre malheur que nous la vîmes ! Charlemagne ne recevra plus d'aide de nous. Jamais il n'y aura un tel homme jusqu'au jugement dernier. Mais vous allez mourir, et la France aura déshonneur. Aujourd'hui, notre loyale amitié va finir ; avant ce soir, nous serons séparés en
55 grande douleur ! »

(132) L'Archevêque les entend se quereller ; il pique son cheval de ses éperons d'or pur, il vient jusqu'à eux, et se met à les reprendre : « Sire Roland, et vous sire Olivier, je vous prie, au nom de Dieu, de ne pas vous quereller ; sonner du
60 cor ne nous servirait pas ; et pourtant, cela vaudrait mieux. Que le roi vienne : il pourra nous venger et ceux d'Espagne ne s'en retourneront pas gaiement ! Nos Français mettront pied à terre, ils nous verront morts et taillés en pièces, ils nous mettront en bières et nous emporteront à dos de cheval,
65 ils nous pleureront, pleins de deuil et de pitié, et nous enterreront dans la cour des moutiers* : les loups, les sangliers et les chiens ne nous mangeront pas. »

Roland répond : « Seigneur, vous avez bien parlé ! »

(133) Roland a mis l'olifant à ses lèvres, il l'embouche
70 bien, et sonne avec grande force.

Hauts sont les monts, et bien longue la voix du cor. À trente grandes lieues on l'entend se prolonger. Charles l'a entendu, et tous ses corps de troupe. Le roi dit : « Nos hommes livrent bataille. » Ganelon lui répondit : « Qu'un autre
75 l'eût dit, cela eût paru grand mensonge. »

(134) Le comte Roland, à grand peine et grand effort, à grande douleur, sonne son olifant. De sa bouche jaillit le sang clair, de son front la tempe s'est rompue : le son du cor va très loin.

80 Charles l'entend, lui qui passe aux ports. Naimes l'entend et tous les Francs écoutent. Le roi dit : « J'entends le cor de Roland ; il n'en sonnerait pas, s'il n'était en pleine bataille ! » Ganelon répond : « Il n'y a pas de bataille. Vous êtes déjà vieux, tout blanc et tout fleuri ; de telles paroles vous font
85 ressembler à un enfant. Vous connaissez bien le grand orgueil de Roland ; c'est merveille que Dieu le souffre si longtemps... Pour un seul lièvre Roland corne toute une journée ; devant ses pairs, sans doute, il marche en s'amusant. Qui donc sous le ciel oserait lui livrer bataille ? Chevauchez donc ! Pourquoi
90 vous arrêter ? La Grande Terre[1] est très loin devant nous ! »

(135) Le comte Roland a la bouche sanglante, et de son front les tempes sont rompues ; il sonne l'olifant à grande douleur, à grande angoisse.

---

1. La France.

Charles l'entend, et ses Français l'entendent. Le roi dit :
95 « Ce cor a longue haleine. » Le duc Naimes répond : « C'est qu'un preux* y prend peine ; j'en suis sûr, on livre bataille ; il a trahi Roland, celui qui vous conseille de ne pas l'aider ! Armez-vous, criez votre cri de guerre, et secourez votre noble maison. Vous avez trop longtemps entendu se lamenter
100 Roland ! »

(136) L'Empereur fait sonner ses cors : les Français mettent pied à terre, ils s'arment de hauberts* et de heaumes*, et d'épées* ornées d'or ; ils ont de beaux écus* et des épieux* grands et solides, des gonfanons* blancs, vermeils et bleus.
105 Tous les barons de l'armée remontent sur leurs destriers ; ils piquent des éperons avec ardeur, tout le long des ports. Pas un qui ne dise à l'autre : « Si nous voyons Roland avant qu'il ne soit mort, avec lui nous donnerons de grands coups ! » Mais à quoi bon ? Ils ont trop tardé.

110 *(137)* C'est l'après-midi d'un jour lumineux ; sous le soleil reluisent les armures ; les hauberts et les heaumes flamboient, et les écus décorés de fleurs peintes, et les épieux et les gonfanons dorés. L'Empereur chevauche en grande colère, et avec lui les Français dolents[2] et courroucés ; pas un
115 seul qui ne pleure abondamment et qui pour Roland n'ait grand peur.

Le roi fait saisir le comte Ganelon, et il le livre aux gens de sa cuisine. Il appelle leur chef, Besgon : « Garde-le-moi bien, comme un félon* qu'il est : il a trahi ma maison. »
120 L'autre reçoit Ganelon, et met de lui cent compagnons de la cuisine, des meilleurs et des pires. Ils lui arrachent la barbe et la moustache, chacun lui donne quatre coups de son poing ; ils le battent durement à coups de triques et de bâtons, ils lui mettent une chaîne au cou, et l'enchaînent comme ils feraient
125 d'un ours ; puis ils le placent ignominieusement sur un cheval de somme[3]. Ils le gardent jusqu'au moment où ils le rendront à Charles.

(138) Hauts sont les monts, et ténébreux et grands, profondes les vallées, rapides les torrents ! Les trompettes son-
130 nent, à l'arrière, à l'avant, et tous répondent à l'olifant. L'Em-

---

2. Affligés.
3. Cheval qui transporte les bagages, cheval de bât, alors que le chevalier chevauche un destrier ou un palefroi.

pereur chevauche en grande fureur, et les Français, courroucés et dolents. Pas un qui ne pleure et se lamente, et ne prie Dieu pour qu'il sauve Roland, jusqu'à ce qu'ils arrivent au champ de bataille. Alors, comme ils vont frapper de grands
135 coups avec lui !... Mais à quoi bon ? Tout cela ne sert à rien, ils sont trop en retard, ils ne peuvent arriver à temps.

Comprendre le texte

I. La querelle

1. Quand cette nouvelle bataille commence, pourquoi les Français semblent-ils découragés ? Comment l'archevêque Turpin leur redonne-t-il courage ? Quel sens donne-t-il au combat qui s'annonce ?

2. Étudiez le plan du passage qui commence à la laisse 128 pour s'achever à la laisse 138 : vous en distinguerez les différents épisodes.

3. Quelles sont les réactions de Roland et d'Olivier devant le massacre des Francs ? Correspondent-elles à ce que nous savons de chacun des deux personnages ? Vous justifierez votre réponse en vous appuyant sur le texte.

4. Quels reproches Olivier adresse-t-il à Roland ? Sont-ils justifiés ? Comment sa colère s'exprime-t-elle ?

5. Par quels arguments Turpin parvient-il à apaiser Roland et Olivier ? Caractérisez ce qui fait la force de son intervention.

6. Quel est le rôle de Turpin dans les laisses 115 et 132 ? Comparez-le avec celui qu'il joue dans la laisse 89 et celui d'Olivier dans les laisses 80 à 87.

7. Définissez en les comparant entre elles les conceptions de l'honneur selon Turpin, Olivier et Roland, telles qu'elles apparaissent ici et aux laisses 83 à 88.

8. Lorsque Roland sonne du cor, son appel est-il un aveu de défaite ou un exploit héroïque ? Justifiez votre réponse.

II. L'appel entendu

9. Charles entend le cor : qu'en conclut-il ? Pourquoi Ganelon le contredit-il ? Quelle conséquence a pour lui son insistance ?

10. En quoi, d'après le texte, le sort de Ganelon est-il digne de son forfait ?

11. Comment la douleur des Francs s'exprime-t-elle ?

12. Charles et son armée arriveront-ils à temps pour sauver Roland ?

Étudier la construction dramatique

L'organisation des laisses

1. Comparez ce passage avec les laisses 80 à 89 : en quoi les événements, le rôle et les sentiments des personnages diffèrent-ils ?

2. Où est Charles quand Roland sonne du cor ? Montrez que le récit passe d'un lieu à l'autre et d'un point de vue à l'autre : quel est l'effet produit ?

3. Étudiez les répétitions dans les laisses 128 à 131 et dans les laisses 133 à 135 : quelles sont leurs fonctions ?

L'intervention de l'auteur

4. À plusieurs reprises, l'auteur intervient pour commenter les événements : où, comment, et dans quel but ?

Étudier le vocabulaire

1. Décomposez l'adverbe *ignominieusement*: comment est-il construit ? Donnez d'autres mots de la même famille.

2. À quel niveau de langue appartient l'adjectif *courroucé* ? Donnez-en plusieurs synonymes que vous classerez selon leur niveau de langue.

3. Quelle est l'origine des mots *deuil* et *douleur* ? Précisez leur sens dans le texte et recherchez des mots de la même famille.

Se documenter

Vous dessinerez un chevalier du XIe siècle à cheval en indiquant le nom des pièces de son costume, de son armement et du harnachement de sa monture.

S'exprimer

1. *Sujet de réflexion.* Selon vous, appeler au secours est-ce un aveu de faiblesse ?

2. *Sujet d'imagination.* Par obstination ou par désobéissance, vous vous êtes engagé, avec l'un(e) de vos camarades dans une situation difficile. Vous jouez les fanfarons et refusez d'appeler au secours comme vous le conseille votre ami(e) mais bientôt, vous y êtes contraint. Racontez.

8. La mort d'Olivier et de Turpin

Les Francs sont submergés par le nombre des combattants païens et succombent, un à un. Les seuls survivants sont Olivier, l'archevêque Turpin et Roland.

(147) Olivier sent qu'il est blessé à mort ; il ne se vengera jamais assez. Au fort de la mêlée, il frappe en vrai baron*. Il tranche épieux* et boucliers*, et pieds et poings, selles et côtés. Qui l'eût vu démembrer les Sarrasins, et jeter un mort sur l'autre, pourrait se souvenir d'un bon chevalier*. Le cri de guerre de Charles, il se garde de l'oublier : « Montjoie ! » s'écrie-t-il à voix haute et claire. Il appelle Roland, son ami et son pair* : « Sire compagnon, venez tout près de moi : en grande douleur, aujourd'hui, nous serons séparés. »

(148) Roland regarde Olivier au visage : il est blême, livide, décoloré, tout pâle ; le sang clair lui coule le long du corps, ruisselle jusqu'à terre : « Dieu, dit le comte, je ne sais que faire ! Sire compagnon, votre courage a tourné à votre perte. Jamais homme n'atteindra votre valeur. Hélas ! France la douce, comme aujourd'hui tu vas rester veuve de bons vassaux, confondue et déchue ! L'Empereur en aura grand dommage. » À ces mots, Roland sur son cheval se pâme.

(149) Voilà Roland pâmé sur son cheval, et Olivier blessé à mort. Il a perdu tant de sang que ses yeux en sont troublés. Ni de loin, ni de près il ne voit assez clair pour reconnaître homme mortel. Il rencontre son compagnon, et il le frappe sur son heaume* aux gemmes[1] serties d'or, et le lui tranche jusqu'au nasal[2] ; mais le fer n'a pas pénétré dans la tête.

À ce coup, Roland l'a regardé, et doucement, tendrement, il demande : « Sire compagnon, l'avez-vous fait exprès ? C'est moi Roland, qui tant vous aime. Vous ne m'avez défié

1. Pierres précieuses.

2. Partie du heaume destinée à protéger le nez.

d'aucune manière. » Olivier dit : « Maintenant je vous entends parler, mais je ne vous vois point : que le Seigneur Dieu vous voie ! Je vous ai frappé, pardonnez-le-moi. » Roland répond : « Je n'ai aucun mal. Je vous pardonne, ici et devant Dieu. » À ces mots ils se sont penchés l'un vers l'autre. Et c'est dans un tel amour qu'ils se sont séparés.

(150) Olivier sent l'angoisse de la mort ; les deux yeux lui tournent dans la tête, il perd l'ouïe et tout à fait la vue, il met pied à terre et se couche sur le sol ; et à haute voix, il fait son *mea culpa*[3] ; il tend vers le ciel ses deux mains jointes, il prie Dieu de lui donner le paradis, et de bénir Charles et France la douce, et son compagnon Roland par-dessus tous les hommes. Le cœur lui manque, son heaume retombe, et tout son corps s'affaisse à terre. C'est fini, le comte est mort. Roland le preux* le pleure et se lamente ; jamais sur terre vous n'entendrez homme plus plein de douleur.

[...]

(164) Le comte Roland, en voyant morts ses pairs*, et Olivier, qu'il aimait tant, est pris d'attendrissement et commence à pleurer. Son visage en est tout décoloré. Il a si grande douleur qu'il ne peut se tenir debout ; bon gré, mal gré, il tombe pâmé sur le sol. L'Archevêque dit : « Quel malheur pour vous, baron ! »

(165) L'Archevêque, quand il vit Roland se pâmer, en éprouva la plus grande douleur qu'il eût jamais sentie. Il étendit la main, et prit l'olifant. À Roncevaux coule une eau courante ; il veut y aller, pour donner de l'eau à Roland. À petits pas, il s'éloigne, chancelant. Il est si faible qu'il ne peut avancer, il n'en a pas la force, il a perdu trop de sang : avant d'avoir parcouru l'espace d'un arpent, le cœur lui manque, et il tombe en avant : il est saisi des angoisses de la mort.

(166) Le comte Roland revient de pâmoison : il se relève, mais il a grande douleur ! Il regarde en aval, il regarde en amont. Sur l'herbe verte, au-delà de ses compagnons, il voit, gisant à terre, le noble baron, l'Archevêque qui représente Dieu.

---

3. Premières paroles en latin (c'est ma faute) de l'acte de contrition ou prière par laquelle le pénitent demande pardon à Dieu pour ses fautes.

Turpin bat sa coulpe, lève ses regards en haut, et vers le ciel tend ses deux mains jointes, et prie Dieu de lui donner le paradis. Turpin est mort, Turpin, le soldat de Charles. Par de grandes batailles et par de très beaux sermons il a toujours vaillamment combattu contre les païens. Que Dieu lui octroie sa sainte bénédiction !

(167) Le comte Roland voit l'Archevêque à terre ; il voit de son corps sortir les entrailles, et de son front, la cervelle jaillir en bouillonnant. Sur sa poitrine, entre les deux épaules, il a croisé ses blanches et belles mains, et puis, de tout son cœur, selon la coutume de son pays, il lui dit ses regrets : « Ah ! gentilhomme, chevalier de bonne lignée, je vous confie à cette heure au Roi glorieux du ciel. Jamais homme ne le servira plus volontiers que vous. Depuis les Apôtres[4], on n'a point vu tel prophète pour maintenir la loi sainte et pour convertir les hommes. Que votre âme maintenant n'endure nulle privation ! Que la porte du paradis lui soit ouverte ! »

Adieu de Roland à Olivier. Roland frappe un Sarrasin avec son olifant.
Karl der Grosse du Stricker, détail, vers 1300, miniature, Saint-Gall, Suisse.

4. Les douze compagnons du Christ.

Comprendre le texte

1. Quel est le plan de ce passage ?

2. Comment l'auteur explique-t-il le fait qu'Olivier frappe son ami ? Comment Roland réagit-il ? Que prouve cette réaction ?

3. Relevez dans les paroles de Roland à Olivier les marques d'amitié, de respect et de douleur.

4. À votre avis, pour quelles raisons, l'auteur fait-il suivre la mort d'Olivier par celle de l'archevêque Turpin ? En quoi ce moment est-il particulièrement dramatique pour Roland ?

5. Comment la fraternité qui unit Roland et Turpin est-elle marquée (laisses 164 et 165) ?

6. Roland prononce l'éloge funèbre de Turpin et en fait un personnage exceptionnel de la chrétienté : relevez les éléments qui le prouvent.

7. Comparez la réaction de Roland après la mort d'Olivier à celle qui suit la mort de Turpin.

Analyser les techniques d'écriture

Le réalisme

Relevez les passages qui rendent avec réalisme la mort d'Olivier et de Turpin.

La personnification

Hélas ! France la douce, comme aujourd'hui tu vas rester veuve de bons vassaux, confondue et déchue !
Analysez les termes qui personnifient la France : quel effet produisent-ils ? Quel effet produit leur répétition dans le passage et dans l'œuvre entière ?

Étudier le vocabulaire

Recherchez l'origine étymologique du mot *gentilhomme* (laisse 167). En quoi le sens de ce mot est-il éclairé par l'expression qui le suit : *chevalier de bonne lignée* ?

S'exprimer

Vous rédigez pour le journal du collège un article dans lequel vous faites l'éloge ou la critique d'une vedette de la chanson ou du cinéma.

Comparer

GIRART DE VIENNE

Dans cette chanson de geste du XIIIe siècle, Bertrand de Bar-sur-Aube raconte comment est née l'amitié légendaire de Roland et Olivier. Les quatre fils de Garin de Monglane, Ernaud, Mile, Rénier et Girart de Vienne se sont rebellés contre Charlemagne. Ce dernier vient mettre le siège devant Vienne. Après de nombreux combats indécis, les deux camps conviennent de s'en remettre à un combat singulier qui opposera Olivier, fils de Rénier, et Roland, neveu de Charlemagne. Les deux adversaires font assaut de courage et de noblesse : rien ne semble pouvoir les départager.

Alors reprend la bataille acharnée. La sueur coule sur leurs chausses. « Sire Olivier, dit le belliqueux Roland, jamais je ne vis un chevalier capable de me résister si longtemps. – Sire Roland, dit le comte Olivier, tant que Dieu m'aidera, je ne redoute les menaces d'aucun homme. »
5 Ardente est la bataille et le combat farouche et l'assaut vigoureux. Jamais on n'entendit parler de tels hommes. La bataille n'eût cessé que par la mort de l'un d'eux, si Dieu ne les avait unis d'une si étroite amitié qu'elle dura jusqu'à leur trépas à Roncevaux, dans la lande boisée, par la faute de Ganelon le Maudit, qui les vendit au roi Marsile. Jamais la
10 riche France n'éprouva de plus grand dommage que ce jour-là.

C'était le soir et la bataille durait toujours. Ils ne songent pas à se reposer, mais la colère les pousse et les excite. Chacun tient l'épée à la main quand une nuée[1], s'abattant entre les adversaires, les cache l'un à l'autre. Ils s'arrêtent et demeurent immobiles. Un tel effroi s'est emparé
15 d'eux que le plus hardi ne saurait prononcer : « Dieu m'aide ! » Un ange, descendant de la nuée, les salue de par Dieu : « Nobles chevaliers, votre gloire s'est accrue, il faut maintenant cesser de combattre. Notre Seigneur vous défend d'insister ; c'est en Espagne que vous éprouverez votre force contre les Sarrasins, pour mériter l'amour de Dieu. »
20 Les deux barons frissonnèrent en entendant les paroles de Dieu. « Ne craignez rien, leur dit l'ange, je suis le messager de Dieu. Laissez tomber votre colère et réservez-la pour les félons d'Espagne. C'est sur la terre du roi Marsile que vous conquerrez un royaume par la force ; si vous observez la parole de Dieu, la récompense sera belle et vos âmes iront
25 au ciel pour séjourner à ses côtés. »

Quand les barons eurent entendu l'ange qui, de par Dieu, leur interdisait de se battre : « Sois adoré, vrai Dieu du ciel, s'écrièrent-ils, pour

1. Nuage gigantesque.

nous avoir adressé ton message par l'ange qui nous a parlé. » L'ange s'en va sans tarder et les barons s'arrêtent. La Lumière du Saint-Esprit[2]
30 les éclaire. Ils vont se reposer sous un arbre épais et se jurent amitié pour toute leur vie. « Sire Olivier, dit Roland, je ne vous le cache pas, je vous assure que je vous aime plus que tout au monde, après le roi Charlemagne. Puisque Dieu veut que nous fassions la paix, jamais je n'aurai château, cité, bourg, ville, tour ou forteresse sans les partager
35 avec vous. J'épouserai Aude, si vous y consentez, et, si je le puis, avant quatre jours, je vous réconcilierai avec Charles. Et s'il refuse d'écouter ma prière je vous accompagnerai là-bas, dans la cité. De toute sa vie il ne doit plus vous faire la guerre. » À ces mots, Olivier tend les mains vers le ciel : « Glorieux Seigneur, soyez adoré ! car vous m'avez ré-
40 concilié avec cet homme. Je ne vous cache pas, Roland, que je vous aime plus que nul au monde. Je vous donne ma sœur bien volontiers, à condition, comme vous le savez, que je rentre en grâce auprès de Charlemagne. Maintenant délacez votre heaume gemmé[3], pour que nous puissions nous donner l'accolade. – Volontiers ! » dit le duc.
45 Ils sont maintenant la tête nue et s'embrassent cordialement. Puis s'asseyant sur l'herbe du pré, ils jurent l'un à l'autre une éternelle amitié. Et c'est ainsi que la paix fut faite.

Bertrand de Bar-sur-Aube, *Girart de Viane*,
texte traduit par R. Bossuat, éd. Larousse 1935.

1. Quels éléments de *La Chanson de Roland* sont repris ici ?

2. Sur quoi l'amitié de Roland et d'Olivier est-elle fondée ?

3. *Si vous observez la parole de Dieu, la récompense sera belle et vos âmes iront au ciel pour séjourner à ses côtés.* La promesse de l'ange se réalisera-t-elle ? Comment ?

4. Pour retrouver Olivier et Roland lisez dans *La Légende des siècles* de Victor Hugo « Le Mariage de Roland ».

---

2. Troisième personne de la Trinité, inspire les prophètes et révèle aux hommes la parole divine.

3. Décoré de pierres précieuses.

9. La mort de Roland

(168) Roland sent bien que sa mort est prochaine : par les oreilles, la cervelle lui sort. Il prie Dieu pour ses pairs*, afin qu'il les appelle à lui ; puis il se recommande à l'ange Gabriel[1]. Il prend son olifant* d'une main, – pour n'en avoir pas de reproche –, et de l'autre Durendal, son épée*. Il s'avance de plus d'une portée d'arbalète en terre d'Espagne, entre en un guéret[2]. Il monte sur un tertre. Sous deux beaux arbres, il y a quatre perrons de marbre. Sur l'herbe verte, il est tombé à la renverse. Il s'est pâmé, car sa mort approche.

(169) Hauts sont les monts, et très hauts sont les arbres. Il y a là quatre perrons* de marbre luisant. Sur l'herbe verte, le comte Roland se pâme.

Cependant, un Sarrasin l'épie : il fait le mort, il gît parmi les autres ; il a souillé de sang son corps et son visage. Il se dresse sur ses pieds, il accourt en hâte. Il est beau, il est fort, et de grande vaillance. Par orgueil, il va faire une folie qui lui sera fatale : il met la main sur Roland, sur son corps et ses armes, et dit : « Il est vaincu, le neveu de Charles. J'emporterai cette épée en Arabie ! » Tandis qu'il la tirait, le comte revint quelque peu à lui.

(170) Roland sent bien qu'on lui enlève son épée ; il ouvre les yeux, et ne lui dit qu'un mot : « Tu n'es pas des nôtres, que je sache ! »

Il tient son olifant, qu'il ne voulut jamais perdre. Il l'en frappe sur le heaume* orné de joyaux et d'or. Il brise l'acier et la tête et les os, et fait jaillir les deux yeux de la tête ; sur le sol, à ses pieds, il renverse le païen, mort. Puis il lui dit : « Lâche, qui t'a donné cette audace de me toucher, à bon

1. L'archange Gabriel joue souvent le rôle d'intermédiaire entre Dieu et les hommes : il est porteur de bonne nouvelle pour Marie à qui il annonce qu'elle sera la mère de Jésus mais il l'est aussi pour Mahomet à qui il dicte le Coran, ce qu'ignore l'auteur du Roland !
2. Champ.

droit ou à tort ? Nul ne l'entendra dire sans te tenir pour fou.
30 Voilà fendu le pavillon[3] de mon olifant, les pierreries et l'or en sont tombées. »

(171) Roland sent qu'il a perdu la vue : il se relève, il ramasse autant qu'il peut ses forces. Son visage a perdu ses couleurs. Il prend Durendal, son épée, toute nue.

35 Devant lui il y a une pierre grise ; il y frappe dix coups, avec douleur et colère : l'acier grince, mais ne se rompt, ni ne s'ébrèche : « Ah ! dit le comte, Sainte Marie, à mon aide ! Ah ! ma bonne Durendal, quel mauvais sort est le vôtre ! Puisque je meurs, je n'ai plus besoin de vous ! Avec vous,
40 j'ai gagné tant de batailles, j'ai conquis tant de vastes pays, que tient Charles à la barbe chenue*. Ne passez jamais aux mains d'un homme qui fuit devant un autre. C'est un très brave chevalier qui vous a longtemps portée. Il n'y en aura jamais de tel dans la sainte France. »

45 *(172)* Roland frappe le perron de sardoine[4] : l'acier grince, mais ne se rompt ni ne s'ébrèche.

Quand Roland voit qu'il ne peut briser son épée, il commence en lui-même à la plaindre : « Ah ! Durendal ! comme tu es belle et claire et blanche, comme tu luis et flamboies
50 au soleil ! Charles était aux vallons de Maurienne quand Dieu, du haut du ciel, lui manda par son ange de te donner à un comte capitaine ; alors le noble, le grand roi m'en ceignit. Avec elle, je lui conquis l'Anjou et la Bretagne, je lui conquis le Poitou et le Maine, je lui conquis la libre Nor-
55 mandie, je lui conquis Provence et Aquitaine, la Lombardie et toute la Romagne[5], je lui conquis la Bavière[6] et les Flandres[7], et la Bourgogne et toute la Pouille[8], Constantinople[9], dont il reçut la foi, et la Saxe qu'il commande à son gré ! Je lui conquis l'Écosse et l'Angleterre, qu'il tenait pour
60 son domaine privé. Par elle je lui conquis tant de pays et de

---

3. Extrémité évasée du cor d'où sort le son à l'opposé de l'embouchure (partie qu'on met à la bouche pour jouer).
4. Onyx de Sardaigne, pierre fine de couleur brunâtre.
5. Régions d'Italie.
6. En Allemagne, comme la Saxe.
7. Région du nord de la France et de la Belgique.
8. Région d'Italie ; mais la traduction est incertaine : le mot Puillanie pourrait désigner la Pologne.
9. Ou Byzance, capitale de l'empire byzantin, aujourd'hui, Istambul, ville la plus peuplée de Turquie.

terres, que tient Charles à la barbe blanche ! Pour cette épée, j'ai douleur et tourment. Mieux vaut mourir que de la laisser aux païens. Dieu, notre père, préservez la France de tant de honte ! »

65 *(173)* Roland frappe sur une pierre bise ; il en abat plus que je ne peux dire. L'épée grince, elle ne se casse pas ni ne se brise, et rebondit vers le ciel.

Quand le comte voit qu'il ne la rompra pas, très doucement, en soi-même, il la plaint : « Ah ! Durendal, que tu es belle 70 et sainte ! Ton pommeau doré est plein de reliques[10] : une dent de saint Pierre[11], du sang de saint Basile[12], et des cheveux de Monseigneur saint Denis[13], et du vêtement de sainte Marie ! Il n'est pas juste que les païens te possèdent : les seuls chrétiens doivent vous servir ! Puissiez-vous ne pas tomber 75 aux mains d'un couard ! Avec vous, combien j'aurai conquis de larges terres, que tient Charles à la barbe fleurie ! L'Empereur en est puissant et riche ! »

(174) Roland sent que la mort l'entreprend, et qu'elle lui descend de la tête au cœur. Il s'en est allé en courant vers 80 un pin ; il s'est couché sur l'herbe verte, la face contre terre ; il met sous lui son épée et son olifant*, il tourne la tête vers la gent païenne, et cela parce qu'il veut que Charles et tous les siens disent : « Le noble comte est mort en conquérant ! » Il bat sa coulpe à coups faibles et répétés ; pour ses péchés, 85 il tend à Dieu son gant.

(175) Roland sent bien que son temps est fini : il gît sur un tertre escarpé, face à l'Espagne. D'une main, il frappe sa poitrine : « *Mea culpa*, mon Dieu ! au nom de ta puissance, pour mes péchés grands et petits, que j'ai commis depuis ma 90 naissance jusqu'à ce jour, où me voici abattu ! » Il a tendu à Dieu le gant de sa main droite : les anges du ciel descendent vers lui.

---

10. Comme l'épée de Ganelon (voir le premier chapitre), le pommeau de Durendal contient des reliques ; de même Charlemagne a fait placer dans son épée la pointe de la lance qui perça le flanc de Jésus.

11. Apôtre de Jésus, premier évêque de Rome et fondateur de l'Église catholique, martyrisé sous Néron en 64.

12. Un des Pères de l'Église : il contribua à fixer le dogme en luttant contre l'hérésie d'Arius, l'arianisme (330-379).

13. Évangélisateur de la Gaule vers 250, selon la légende, décapité à Montmartre, il aurait ramassé sa tête et aurait marché jusqu'à l'endroit qui porta depuis lors son nom et où furent enterrés les rois capétiens.

Roland mourant tente de briser son épée. Roland remet son gant à saint Michel.
Karl der Grosse du Stricker, détail, vers 1300, miniature, Saint-Gall, Suisse.

(176) Le comte Roland gît sous un pin : il a tourné son visage vers l'Espagne. De bien des choses lui vient le sou-
95 venir : de tant de terres qu'il conquit en vaillant chevalier, de la douce France, de ceux de sa famille, de Charlemagne, qui l'a nourri[14]. Il ne peut s'empêcher d'en pleurer et d'en soupirer.

Mais il ne veut pas s'oublier lui-même. Il bat sa coulpe, il
100 demande à Dieu merci* : « Vrai Père, qui jamais ne mentis, qui ressuscitas saint Lazare[15] d'entre les morts et sauvas Daniel[16] des lions, sauve mon âme de tous les périls qui la menacent à cause des péchés que je fis en ma vie ! » Il a

14. Élevé ; selon l'usage féodal, l'Empereur avait pris Roland dans sa suite lorsqu'il était encore enfant et lui avait fait enseigner le métier des armes.
15. Frère de Marie, ressuscité par Jésus ; selon la légende, il serait le premier évêque de Marseille.
16. Prophète de l'Ancien Testament ; déporté à Babylone, où il se fait remarquer par le roi grâce à sa sagesse. Jalousé par la cour, il est à plusieurs reprises condamné au martyre et à chaque fois sauvé par Dieu (IIe siècle av. J.-C.).

offert à Dieu le gant de sa main droite, et de sa main saint
105 Gabriel le prit. Sur son bras, sa tête s'est penchée ; il a joint les mains, il s'en est allé à sa fin. Dieu lui envoie son ange Chérubin, et saint Michel du Péril[17] ; avec eux saint Gabriel est venu, et ils emportent l'âme du comte en paradis.

Comprendre un texte

I. La mort d'un chevalier

1. Quelles sont les différentes étapes de ce passage ?

2. À quels éléments du récit comprend-on que la mort ne prend pas Roland à l'improviste mais qu'il s'y prépare ?

3. L'agonie de Roland est encore l'occasion de deux exploits : il tue un dernier Sarrasin, puis, en essayant de briser Durendal, il brise un rocher. Quelle différence de nature voyez-vous entre ces deux exploits ?

4. Comment Roland met-il en scène sa propre mort pour ceux qui le retrouveront ? Appuyez-vous sur le texte. Que veut-il faire comprendre à Charlemagne et aux Francs ?

5. Pourquoi peut-on dire que Roland meurt invaincu ?

6. Montrez, en vous appuyant sur le texte, que le sort de Durendal est une des préoccupations essentielles de Roland. Pour quelles raisons ? Quels sentiments éprouve-t-il pour son épée ?

7. En quoi ce passage peut-il être assimilé à la fois au testament de Roland, par lequel il fait un leg, et au bilan de sa vie (laisses 171, 172 et 173) ? Quels aspects de son existence Roland développe-t-il plus particulièrement ? Cela vous surprend-il ? Pourquoi ?

II. La mort d'un chrétien

8. Relevez les éléments du texte qui montrent que, pour Roland, comme pour tout chevalier, le guerrier est inséparable du chrétien.

9. *Mais il ne veut pas s'oublier lui-même :* quel sens donnez-vous à cette phrase ? Quelle préoccupation spirituelle traduit-elle ? Que demande Roland à Dieu ?

---

17. Archange, chef de la milice céleste, soutien des soldats à leur mort ; protecteur de la France ; son sanctuaire principal est l'abbaye du Mont-Saint-Michel, en Normandie.

10. En vous aidant des notes, vous justifierez le choix des saints nommés dans le texte, ceux dont les reliques sont contenues dans la garde de Durendal, ceux qui sont évoqués par Roland ou ceux qui l'accueillent au moment de sa mort, en insistant sur les intentions de l'auteur.

11. Qu'est-ce qui indique que Dieu accède aux prières de Roland et que celui-ci est sanctifié par sa mort ?

12. Comparez cet extrait à celui consacré à la mort d'Olivier et de Turpin (p. 56) : quelles sont les points communs et les différences ? Vous essaierez de les expliquer.

Analyser les techniques d'écriture

La personnification

Relevez l'ensemble des procédés stylistiques, mots ou expressions, et des tournures grammaticales qui personnifient Durendal.

Le point de vue

Justifiez les changements de points de vue dans les laisses 169 et 170

Étudier le vocabulaire

1. Quelle est l'origine du mot *capitaine ?* Recherchez d'autres mots ayant la même étymologie et classez-les selon leur champ lexical.

2. *Le comte Roland gît sous un pin :* quel infinitif correspond à la forme verbale « gît » ? Citez les quelques formes encore usitées de ce verbe : à quel domaine s'appliquent-elles ?

3. *Mais il ne veut pas s'oublier lui-même.* On pourrait donner comme équivalent à cette phrase le proverbe suivant : « charité bien ordonnée commence par soi-même », à conditon de redonner au mot « charité » son sens originel. Quel est-il ? Quelle est aujourd'hui la signification de ce proverbe ? Caractérisez le glissement de sens ainsi obtenu.

Analyser une image

Quel est le sens de lecture de l'image de la page 65 ? Justifiez votre réponse. Quel art moderne cela vous rappelle-t-il ?

Se documenter

Roland évoque les territoires qu'il a conquis pour Charles : recherchez-les sur la carte représentant l'empire de Charlemagne en l'an 800 (p. 11). Vous distinguerez les régions ou les pays qui en faisaient réellement partie. À quoi correspond en fait cette énumération ?

Étudier le vieux français

Ço sent Rollant que la mort le tresprent,
Devers la teste sur le quer li descent.
Desuz un pin i est alet curant,
Sur l'erbe verte s'i est culchet adenz,
Desuz lui met s'espee e l'olifan,
Turnat se teste vers la paiene gent :
Pur ço l'at fait que il voelt veirement
Que Carles diet e trestute sa gent,
Li gentilz quens, qu'il fut mort cunquerant
Cleimet sa culpe e menut e suvent,
Pur ses pecchez Deu en puroffrid li guant. *(Laisse 174)*

L'évolution phonétique. On se limitera ici à l'observation d'un seul phénomène : la vocalisation du « l » devant une consonne. Indiquez ce que donne en français moderne les mots suivants : *culchet, voelt, culpe.* Qu'observez-vous ? À la lumière de ce que vous venez de découvrir, pouvez-vous expliquer pourquoi la plupart des mots se terminant par *-al* ont un pluriel en *-aux* ?

Comparer

LA MORT D'ARTUS

La mort du roi Artus (ou Arthur) est l'épilogue fameux des Romans de la Table ronde. *Artus, roi de Bretagne, c'est-à-dire de Grande Bretagne, et ses chevaliers livrent une ultime bataille à l'innombrable armée de Mordret, le fils félon d'Artus, qui veut s'emparer du trône de son père. Lorsque les deux chefs s'affrontent, ils ont perdu presque tous leurs compagnons. Artus, vainqueur de Mordret, est cependant blessé à mort : Giflet, seul survivant du carnage, recueille ses dernières volontés.*

À midi ils atteignirent le rivage de la mer. Et là le roi Artus descendit, puis il déceignit son épée, la tira du fourreau et, après l'avoir longtemps regardée, il dit tristement :

- Escalibor, bonne épée, la meilleure qui ait jamais été, [...] tu vas perdre ton maître et droit seigneur ! Seul, Lancelot[1] serait digne de te porter. Ha ! plût à Jésus-Christ qu'il pût t'avoir : mon âme en serait plus aise !... Giflet, derrière cette colline vous trouverez un lac : allez-y jeter mon épée.

- Sire, je ferai votre commandement. Mais il vaudrait mieux, si tel était votre plaisir, que vous m'en fissiez don.

- Nenni[2], répondit le roi.

Giflet prit l'épée ; mais quand il fut au bord du lac, il tira la lame pour la regarder, et, à la voir si claire et si belle, il pensa que ce serait trop grand dommage que de la perdre. « Mieux vaut que je jette la mienne et garde celle-ci », se dit-il, et, posant Escalibor sur l'herbe, il lança sa propre épée dans l'eau ; après quoi il revint auprès du roi.

- Sire, j'ai fait ce que vous m'aviez commandé.

- Et qu'as-tu vu ?

- Rien que de bon.

- Giflet, tu me peines et chagrines sans raison. Retourne au lac et jettes-y mon épée.

Giflet revint sur ses pas, pensant qu'il noierait le fourreau, mais non la lame. Et ainsi fit-il ; mais, quand il fut à nouveau devant son seigneur :

- Qu'as-tu vu ? demanda le roi.

- Sire, rien que de naturel.

- C'est donc que tu ne l'as pas encore jetée ! Va-t'en, et fais ce que je t'ai commandé : c'est péché que de me tourmenter de la sorte !

Alors le fils de Do, tout honteux, s'en fut au bord du lac pour la troisième fois et il se mit à pleurer quand il tint l'épée bonne et belle dans sa main, brillante comme une escarboucle[3] ; pourtant il la jeta aussi loin qu'il put. Or, au moment qu'elle allait toucher l'eau, il vit surgir une main qui la saisit par la poignée et qui la brandit par trois fois, puis tout disparut sous l'onde. Longtemps, il attendit, mais il n'aperçut plus rien que l'eau frissonnante.

- C'est bien dit le roi quand il connut ce qui s'était passé. Maintenant, beau doux ami, il vous faut partir et me laisser. Et sachez que jamais plus vous ne me verrez.

À ces mots, Giflet eut grand deuil[4].

- Ha ! sire, comment serait-il possible que je vous abandonnasse de la sorte et ne vous visse plus ! Mon cœur ne le pourrait souffrir ! Il me faut vivre ou mourir avec vous.

- Je vous en prie, dit le roi, de par l'amour qui a toujours été entre nous !

---

1. Lancelot du Lac, le plus fameux des chevaliers de la table ronde.
2. Vieux mot français pour dire non.
3. Pierre précieuse, c'est une variété de grenat.
4. Douleur.

Alors, les larmes aux yeux, Giflet le fils de Do s'en fut sur son
45 destrier*. Et sachez que, lorsqu'il fut à un quart de lieue, il commença de pleuvoir si merveilleusement qu'il dut s'abriter sous un arbre. Mais, l'orage passé, regardant vers la mer, il vit s'approcher une belle nef[5], toute pleine de dames avenantes, qui aborda non loin du lieu où il avait laissé le roi, son seigneur ; l'une d'elles, qui était Morgane la fée[6], ap-
50 pela et le roi se leva, puis, tout armé, suivi de son cheval, il monta dans la nef qui tendit ses voiles au vent et s'enfuit comme un oiseau. Le conte dit qu'elle s'en fut droit à l'île d'Avalon[7] où le roi Artus vit encore, couché sur un lit d'or : les Bretons attendent son retour. Et ainsi s'accomplit la parole du prophète Merlin[8], qui avait prédit que sa fin
55 serait douteuse.

« La mort d'Artus », *Romans de la Table ronde*,
J. Boulenger, UGE, 1971.

– Vous comparerez cet extrait de « La mort d'Artus » aux laisses 171 à 176 de *La Chanson de Roland* en mettant en évidence ressemblances et différences, notamment en ce qui concerne les dernières volontés des héros et l'intrusion du surnaturel dans le récit.

Scène de la bataille de Roncevaux.
Les Grandes Chroniques de France, miniature, XIVe siècle, British Museum, Londres.

5. Du latin *navis*, navire.
6. Fée bienveillante et guérisseuse.
7. Ile fabuleuse où les Bretons situaient le paradis.
8. Il s'agit de Merlin l'enchanteur.

10. Charlemagne à Roncevaux

Charles, malgré Ganelon, est revenu sur ses pas, trop tard, cependant, pour sauver Roland. Marsile, effrayé par le retour des Francs, s'est enfui tandis que son armée était anéantie. Charles pleure ses compagnons et leur donne une sépulture.

(204) Charles est arrivé à Roncevaux : il commence à pleurer sur les morts qu'il trouve.

Il dit aux Français : « Seigneurs, allez au pas, car moi-même je dois aller en avant, à cause de mon neveu, que je
5 voudrais trouver. J'étais à Aix, un jour de fête solennelle : mes vaillants chevaliers se vantaient de grandes batailles, de rudes charges qu'ils livraient. Et voici ce que j'entendis dire à Roland : que s'il mourait jamais en pays étranger, ce serait en avant de ses pairs* et de ses hommes ; sa tête serait tournée
10 vers le pays ennemi, et, comme un vrai baron*, il finirait en conquérant ! »

Charles, précédant les autres d'un peu plus de la distance d'un jet de bâton, est monté sur une hauteur.

(205) L'Empereur, en cherchant son neveu, trouve dans
15 le pré tant d'herbes dont les fleurs sont vermeilles du sang[1] de nos barons ! Il en est ému, il ne peut s'empêcher de pleurer ; il est arrivé au haut de la colline, sous deux arbres ; il reconnaît les coups de Roland sur les trois perrons* ; sur l'herbe verte il voit son neveu gisant. Il n'est pas si étonnant
20 que Charles ait grande douleur ! Il met pied à terre, il approche en courant, il prend le comte entre ses bras, et tombe sur lui, pâmé, tant son angoisse[2] est grande !

---

1. Ce sont des adonis, fleurs d'un rouge éclatant.

2. Douleur.

(206) L'Empereur revient de pâmoison. Le duc Naimes et le comte Acelin, Geoffroy d'Anjou et son frère Thierry
25 prennent le roi et l'adossent à un pin. Il regarde à terre, il voit son neveu gisant. Et très doucement, il dit ses regrets ; « Ami Roland ! Que Dieu te fasse merci[3] ! Jamais on ne vit pareil chevalier pour engager et pour gagner de grandes batailles. Mon honneur s'en va vers son déclin ! » Charles se
30 pâme, il ne peut s'en empêcher.

(207) Le roi Charles revient de pâmoison ; par les mains le tiennent quatre de ses barons. Il regarde à terre, il voit son neveu gisant. Roland a l'air encore plein de vie, mais il a perdu sa couleur, ses yeux sont retournés et tout remplis
35 d'ombre. Charles le pleure avec fidélité et amour :

Le chagrin de Charlemagne.
Karl der Grosse du Stricker, détail, vers 1300, miniature, Saint-Gall, Suisse.

---

3. Dieu te pardonne.

« Ami Roland, que Dieu mette ton âme dans les fleurs[4], au paradis, entre les glorieux ! Avec quel mauvais seigneur tu es venu en Espagne ! Aucun jour ne se passera que pour toi je n'aie douleur ! Comme ma force et ma joie vont dé-
40 choir ! Je n'aurai plus personne qui soutienne mon honneur : sous le ciel, je n'ai, ce me semble, plus un seul ami. J'ai des parents, mais aucun d'aussi preux* ! »

Il s'arrache les cheveux à pleines mains[5] ; cent mille Français en ont une telle douleur, qu'il n'y en a pas un qui ne
45 pleure amèrement.

(208) « Ami Roland, je m'en irai en France, et quand je serai à Laon[6], en mon domaine privé[7], des étrangers viendront de plusieurs royaumes ; ils demanderont : “Où est le comte capitaine ?” Je leur dirai qu'il est mort en Espagne. Je ne
50 gouvernerai plus mon royaume qu'avec grande douleur ; il ne se passera pas de jour que je ne pleure et ne me plaigne. »

(209) « Ami Roland, ô preux, belle jeunesse, quand je serai à Aix, en ma chapelle, des hommes viendront demander des nouvelles et je leur en donnerai d'étonnantes et cruelles :
55 “Il est mort, mon neveu, qui m'a fait conquérir tant de terres !” Et contre moi vont se révolter les Saxons, et les Hongrois, et les Bulgares, et tant de nations ennemies, les Romains, et les gens de Pouille et tous ceux de Palerme, et ceux d'Afrique et ceux de Califerne[8], et ma douleur et mes regrets
60 n'en feront que croître. Qui avec autant de force conduira mes armées, puisqu'il est mort, celui qui toujours nous menait ? Ah ! France, comme tu restes déserte ! J'en ai si grand deuil que je voudrais ne plus vivre ! »

Il commence alors à tirer sa barbe blanche, et s'arrache à
65 deux mains les cheveux de sa tête : cent mille Français se pâment contre terre.

---

4. Le paradis est conçu comme un champ de fleurs, et celles-ci sont le symbole de la résurrection.
5. C'est une marque rituelle de la douleur pendant la période du deuil dans l'Antiquité et au Moyen Âge.
6. Capitale des rois carolingiens.
7. C'est le domaine qui appartient en propre au roi ou au seigneur et qu'il administre directement.
8. Charlemagne énumère tous les peuples situés aux frontières de l'empire qui risquent de se révolter, mais les Bulgares ne lui ont jamais été soumis et Califerne est une ville imaginaire ; il est aussi probable que, comme souvent au XIe siècle, l'auteur considère que l'Espagne fait partie de l'Afrique.

(210) « Ami Roland, que Dieu te fasse merci ! Que ton âme soit mise en paradis ! Qui t'a tué a mis la France en détresse : je ne voudrais plus vivre, tant j'ai grand deuil de
70 ma maison, qui est morte pour moi ! Puisse Dieu, le fils de Sainte Marie, faire qu'aujourd'hui – avant que j'arrive aux maîtres ports* de Cize[9] – mon âme soit séparée de mon corps, qu'elle aille prendre place avec leurs âmes, et que ma chair soit enfouie près de la leur ! »
75 Il pleure des yeux, il tire sa barbe blanche, et le duc Naimes dit : « Charles a bien grande douleur ! »

Mais voici venir l'immense armée des Sarrasins de Baligant, émir de Babylone[10], allié de Marsile. Charles vainc et tue Baligant puis s'empare de Saragosse. Le roi Marsile est tué à son tour. Sa veuve, Branimonde, est emmenée par Charles à Aix-la-Chapelle, la capitale des Francs.

Comprendre le texte

1. Charles veut être le premier à trouver le corps de Roland. Quelles raisons donne-t-il à ses compagnons ? N'y en a-t-il pas d'autres ?

2. Que signifie, selon Charles, la localisation et la position du corps de Roland ? Qui lui a fourni de façon prophétique cette explication ?

3. *L'Empereur, en cherchant son neveu, trouve dans le pré tant d'herbes dont les fleurs sont vermeilles du sang de nos barons !* Expliquez cette phrase. En quoi le rapprochement des mots *fleurs* et *sang* est-il particulièrement émouvant ?

4. Comment la douleur de Charles s'exprime-t-elle devant le corps de son neveu ? Vous en caractériserez les manifestations ainsi que la progression et vous montrerez comment un certain rituel se mêle à la spontanéité.

5. Qu'est-ce qui explique cette douleur ? Charles réagit-il seulement en homme éploré par un deuil familial ? Que semble-t-il redouter ? Caractérisez le ton des laisses 206 à 210.

---

9. Roncevaux.
10. Situez Babylone sur une carte : cette intervention de Baligant vous paraît-elle vraisemblable ?

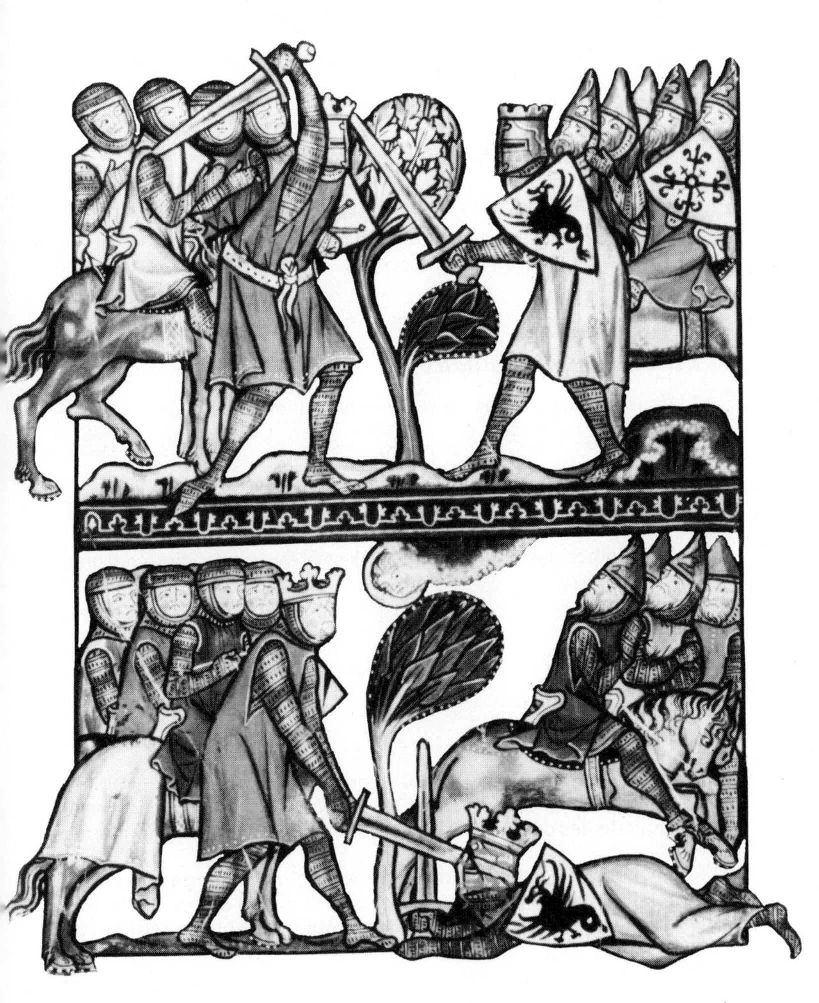

Combat à pied entre Charlemagne et le Sarrasin Baligant.
Karl der Grosse du Stricker, détail, vers 1300, miniature, Saint-Gall, Suisse.

6. Recherchez ce qui, dans les plaintes de Charles, justifie la double vengeance qu'il va exercer sur les Sarrasins et sur Ganelon.

7. Montrez comment l'armée, et la France tout entière, s'associent à la douleur du roi.

Analyser les techniques d'écriture

Le récit, le discours

Vous définirez les effets produits, dans ce passage, par :
- l'alternance du récit et du discours
- les répétitions.

Étudier le vocabulaire

1. Vous expliquerez les mots ou expressions qui suivent :
- *se pâmer, pamoison,*
- *angoisse,*
- *Dieu te fasse merci.*

Vous rechercherez d'autres expressions comportant le mot *merci*. Quel est le sens actuel de ce mot ?

2. Recherchez des antonymes et des synonymes du verbe *déchoir*.

S'exprimer

Exposé : mort et funérailles au Moyen Âge.

Se documenter

Sur le thème de la bravoure des guerriers morts en combattant, vous lirez l'épisode de l'*Histoire romaine* de Tite-Live contant la découverte des cadavres des légionnaires romains par leur ennemi Pyrrhus.
Sur le thème de la douleur devant la mort d'un compagnon d'armes et des funérailles, vous lirez les chants XVIII, XXIII et XXIV de l'*Iliade*. Le chapitre XII de *Colomba* de Prosper Mérimée vous montrera que certains rituels ont traversé les siècles.

11. Charles à Aix

(268) L'Empereur est revenu d'Espagne ; il arrive à Aix, la meilleure ville de France. Il monte à son palais ; il entre dans la salle.

Vers lui est venue Aude, une belle demoiselle. Elle dit au roi : « Où est Roland le capitaine, qui me jura de me prendre pour femme ? » Charles est rempli de douleur et chagrin. Il pleure, il tire sa barbe blanche : « Sœur[1], chère amie, tu t'enquiers d'un homme mort ; mais je te donnerai quelqu'un qui le remplacera bien ; je te donnerai Louis[2], je ne saurais mieux dire ; il est mon fils et possèdera mes marches*. » Aude répond : « Cette parole m'est étrange ; ne plaise à Dieu, à ses saints, à ses anges, qu'après Roland je reste encore en vie ! »

Elle perd ses couleurs, tombe aux pieds de Charlemagne : elle est morte aussitôt. Dieu ait pitié de son âme ! Les barons français en pleurent et la plaignent.

(269) Aude la belle est allée à sa fin ; le roi croit qu'elle n'est que pâmée ; il a pitié d'elle, et il pleure ; il la prend par les mains, il la relève, mais sa tête s'incline sur ses épaules.

Lorsque Charlemagne voit qu'elle est morte, il fait venir aussitôt quatre comtesses. On la porte dans un moutier* de nonnes[3], et elles la veillent de la nuit jusqu'à l'aube ; puis on l'enterra de belle manière au long d'un autel. Le roi lui fit grand honneur.

(270) L'Empereur est revenu à Aix. Ganelon le traître, chargé de fers, est dans la cité, devant le palais ; des serfs l'ont attaché à un poteau, et lui lient les mains avec des

---

1. Terme d'affection.
2. Louis, fils de Charlemagne, empereur sous le nom de Louis le Débonnaire ou Louis le Pieux ; il naquit en 778, soit l'année de Roncevaux.
3. Religieuses.

courroies en peau de cerf ; ils le battent vigoureusement à coups de triques et de bâtons ; il n'a certes pas mérité mieux,
30 avec grande douleur, il attend son procès. [...]

Faut-il mettre à mort Ganelon ? Les Français sont partagés et s'en remettent au jugement de Dieu : Pinabel, défenseur de Ganelon, affronte Thierry, champion[4] *de Charlemagne, qui l'emporte. Le traître sera exécuté.*

(289) Alors se sont retirés Bavarois et Allemands et Poitevins et Bretons et Normands[5]. Tous ont admis, et les Français[6] les premiers, que Ganelon meure d'un terrible supplice. On amène quatre destriers*, puis on lui lie les pieds et les
35 mains. Les chevaux sont ardents et rapides, quatre sergents les dirigent vers un cours d'eau qui est au milieu d'un champ. Ganelon va mourir d'une fin terrible : tous ses nerfs sont affreusement tirés, et tous ses membres sont déchirés de son corps ; sur l'herbe verte coule son sang clair.
40 Ganelon est mort comme un félon* et un lâche. Il est juste que le traître ne puisse se vanter de sa trahison. [...]

(291) Quand l'Empereur eut fait justice, et que sa grande colère fut apaisée, quand il eut fait chrétienne Branimonde, le jour était passé, la nuit était tombée.
45 Le roi se couche en sa chambre voûtée. Saint Gabriel vient lui dire de la part de Dieu : « Charles, réunis les armées de ton empire. Par vive force, tu iras dans la terre de Bire, secourir le roi Vivien dans Imphe[7], cette cité que les païens assiègent. Les chrétiens te réclament et crient. »
50 L'Empereur voudrait bien n'y pas aller : « Dieu ! dit le roi, que peineuse est ma vie ! » Ses yeux versent des larmes, il tire sa barbe blanche.

Ici finit la geste que Turolde traduit[8].

---

4. Le champion est celui qui défend, en combat singulier la cause de quelqu'un.
5. Charlemagne a convoqué des représentants de tous les peuples de l'empire pour juger Ganelon.
6. Pourquoi les Français sont-ils distingués des Poitevins ou des Normands ? Peut-être l'auteur désigne-t-il ici les habitants du domaine royal au XIe siècle.
7. Noms inconnus sans doute créés par l'auteur.
8. D'autres traductions sont possibles : « expose », « raconte », « développe » (voir introduction).

La mort d'Aude.
Karl der Grosse du Stricker,
XIVe siècle, miniature, Berlin.

Comprendre un texte

I. La mort de la belle Aude

1. Montrez que la question posée par Aude suggère qu'elle a deviné le sort de Roland.

2. Pourquoi la réponse de Charlemagne étonne-t-elle Aude ? En quoi révèle-t-elle son émotion et sa tendresse pour la jeune fille ?

3. Comment peut-on interpréter le fait qu'Aude ne survive pas à Roland ?

4. En quoi ses funérailles sont-elles dignes d'une princesse ? Pour quelles raisons Charlemagne l'honore-t-il ainsi ?

II. Le châtiment de Ganelon

5. Pourquoi le traitement subi par Ganelon à la laisse 270 paraît-il juste aux Français ? Qu'est-ce qui décide de son sort ?

6. Quel châtiment Ganelon reçoit-il ? L'auteur en signale l'atrocité : la regrette-t-il ? À quel type de criminels était-il particulièrement réservé ? Pourquoi s'applique-t-il à Ganelon ?

III. Le roi justicier

7. Montrez que le texte présente Charles comme un roi juste.

8. Charles rend-il la justice seul ? À quels autres moments a-t-on vu le roi prendre conseil ? Quelle conception du pouvoir royal est perceptible dans *La Chanson de Roland* ?

9. Dans quelle mesure Charles a-t-il non seulement triomphé de ses ennemis mais aussi fait triompher Dieu ?

10. Charles a-t-il droit au repos ? Pourquoi ? Par qui se voit-il assigner une autre mission ? *Dieu ! dit le roi, que peineuse est ma vie !* À quel autre cri de détresse cette phrase peut-elle faire penser ?

Étudier la construction dramatique

Le dénouement

Les méchants sont punis, le bon droit triomphe mais Charlemagne se voit confier une nouvelle mission : la fin de *La Chanson de Roland* peut-elle se comparer à la fin d'un conte ?

S'exprimer

Exposé. Le jugement de Dieu, les ordalies. Expliquez en quoi consistaient ces pratiques, quelles étaient leurs fonctions et leurs origines. Qu'est-ce qui pouvait les justifier aux yeux des chrétiens de l'époque médiévale ? En quoi seraient-elles aujourd'hui considérées comme contraires aux droits de l'homme ?

Se documenter

Quel nom porte aujourd'hui Aix, la capitale de Charlemagne et dans quel pays se situe-t-elle ? Comparez-la aux autres grandes capitales de l'époque, Cordoue, Byzance et Bagdad. Après avoir rassemblé des documents à leur sujet, situez le pays dans lequel chacune d'elles se trouve au Moyen Âge, puis à l'époque actuelle. De toutes ces villes, Aix était-elle, en l'an 800, la plus peuplée, la plus riche en monuments ? De cette comparaison, pouvez-vous déduire quelle était la civilisation la plus brillante ? Justifiez votre réponse et dites quelles réflexions cela vous inspire.

GLOSSAIRE

Assonance : reprise d'une même voyelle en fin de vers dans une laisse.

Bâton : insigne de souveraineté et de commandement ; le roi, Charles, délègue son pouvoir en le confiant, avec le gant, à son ambassadeur, alors qu'il confie une arme, l'arc, au chef de son arrière-garde.

Baron : du francique *baro* « homme libre » ; titre porté par tout grand seigneur.

Beau : formule de politesse (beau-père, beau-fils).

Bliaut : tunique courte pour les hommes et longue pour les femmes ; elle se portait sous le manteau ou sous le haubert.

Bouclier : arme défensive porté au bras gauche par les chevaliers ; vient de *escut boucler*, écu à bosse ou à boucle, celle-ci finissant par désigner l'objet entier (par synecdoque ou métonymie).

Cantilène : ancienne forme poétique qui racontait, tantôt en latin, tantôt en ancien français, la vie des saints ; Gaston Paris a supposé que des cantilènes auraient donné naissance à *La Chanson de Roland*.

Chenu : devenu blanc de vieillesse ; s'applique à Charles à qui Marsile donne 200 ans alors qu'il n'avait que 36 ans à l'époque des faits ; cette longévité exceptionnelle en fait presque un patriarche biblique.

Chevalier : seigneur assez riche pour payer son armement et ses chevaux ; la mission du chevalier est à la fois militaire et religieuse ; il doit combattre pour son suzerain et la religion chrétienne.

Clerc : membre du clergé qui a reçu la tonsure (moine) ; comme les clercs étaient les personnes réputées les plus instruites du Moyen Âge, le terme a fini par signifier « savant », « lettré ».

Courtoise : poésie pratiquée dans les cours seigneuriales des pays de langue d'oc (à l'origine) ; composée et chantée par les troubadours, elle a pour thème essentiel un amour subtil et raffiné.

Destrier : cheval que le chevalier ne montait que sur le champ de bataille ; de destre, la main droite : l'écuyer menait ce cheval de la main droite.

Dialecte : forme régionale d'une langue : le picard, le francien, l'anglo-normand sont des dialectes de la langue d'oïl.

Écu : bouclier long et bombé, composé d'une armature de fer recouverte de planches et de cuir.

Épée : arme noble et sainte des chevaliers : elles portent des reliques, on leur donne un nom ; *Joyeuse* à celle de Charlemagne, *Durendal* pour celle de Roland, *Hauteclaire* pour celle d'Olivier ; Marsile les imite en nommant la sienne *Précieuse*, mais l'accent est alors mis sur la richesse et non plus sur le symbole spirituel.

Épieu : sorte de lance.

Félon : 1. au sens étymologique, méchant, qui maltraite, désigne tout adversaire dangereux ; 2. déloyal, hypocrite, traître.

Fief : domaine concédé par un seigneur à son vassal en échange de certains services.

Gant : emblème d'investiture : Charles confie son gant à son ambassadeur (Cf. bâton) pour signifier qu'il lui délègue son autorité.

Gent : a à la fois le sens de « peuple » et d'« armée ».

Glouton : (de gluttus, gosier), utilisé ici au sens de canaille.

Gonfanon : bannière de guerre à plusieurs pointes, attachée en haut de la lance.

Grande Terre : la France.

Haubert : cotte de mailles métalliques qui protégeait le corps depuis le genou jusqu'au sommet du crâne : le gorgerin protégeait le cou et la coiffe recouvrait la nuque et la tête.

Heaume : casque recouvrant la coiffe pour parfaire la protection de la tête ; sur le devant, une pièce de métal, le nasal, couvrait le nez.

Jongleur : poète nomade qui récitait ou chantait les Chansons de Geste en s'accompagnant d'un instrument de musique.

Laisse : dans les Chansons de Geste, strophe de longueur variable caractérisée par l'assonance en fin de vers.

Lance : arme offensive composée d'une longue hampe en bois et d'une pointe de fer ; elle était utilisée par les chevaliers lors des combats à cheval.

Langue d'oc : ensemble des dialectes du sud de la France où « oui » se disait « oc » (on prononce o).

Langue d'oïl : ensemble des dialectes du nord de la France où « oui » se disait « oïl ».

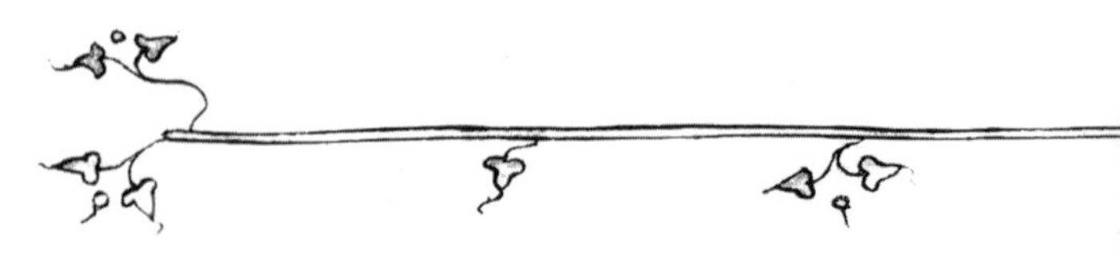

Marche : région frontière du royaume franc (est de la Bretagne, nord de l'Espagne) placée sous le commandement d'un chef militaire appelé « marquis ».

Merci : grâce, pitié.

Moutier : monastère.

Olifant : du latin *elephantum*, éléphant ; puis par métonymie « ivoire » et « cor d'ivoire ».

Pairs : les égaux ; les plus vaillants des chevaliers de Charlemagne qui les a choisis au nombre de douze en souvenir des douze apôtres du Christ ; cette confrérie purement imaginaire sera reproduite par les douze chevaliers de la Table ronde.

Palefroi : cheval de cérémonie, de parade.

Parâtre : beau-père ; n'est pas péjoratif dans *La Chanson de Roland.*

Perron : bloc de pierre devant un palais où siège le roi ; le perron sur lequel Roland essaie de briser Durendal est peut-être une borne frontière placée par le poète entre la France chrétienne et l'Espagne païenne.

Port : col des Pyrénées entre la France et l'Espagne (*Cf.* col du Somport, Saint-Jean-Pied-de-Port).

Preux : vaillant.

Roman : 1. langue populaire parlée en France, par opposition au latin ; 2. état intermédiaire de la langue entre le bas latin populaire et l'ancien français : le premier texte roman connu est le *Serment de Strasbourg* (842).

Sarrasins : nom donné dans les Chansons de Geste aux musulmans d'Afrique du Nord et d'Espagne.

Troubadour : poète lyrique courtois de langue d'oc, appelé « trouvère » dans le Nord de la France.

Le départ d'Énée et de ses compagnons. Gravure anonyme, XVIIIe siècle, BN, Paris.

DEUXIÈME PARTIE

L'ÉPOPÉE

Introduction

• Qu'est-ce que l'épopée ?

Le mot lui-même n'apparaît pas avant le XVIIe siècle[1] : on parlait auparavant de poème héroïque ou de ... chanson de geste !

Selon le dictionnaire c'est « un long poème en vers (ensuite aussi en prose) qui célèbre un héros ou un grand fait, mêlant histoire et légende ». (*Dictionnaire historique de la langue française*, éd. Robert, 1992).

La Chanson de Roland était constituée de 4002 décasyllabes : c'est beaucoup ! et pourtant, c'est peu, comparé aux 9896 hexamètres[2] de l'*Énéide*, aux 15 693 de l'*Iliade*.

Le style de l'épopée est caractéristique : un mot suffirait pour le définir, c'est le *sublime*. Lui seul peut exprimer une histoire sans commune mesure avec la réalité ordinaire et soutenir l'attention d'un auditoire composé pour l'essentiel de guerriers qui attendent qu'on chante leur propre gloire.

Le thème favori de l'épopée semble bien être le combat parce qu'il constitue par excellence l'épreuve qui révèle les qualités hors du commun du héros épique. D'une épopée à l'autre, le schéma du récit ne varie guère : le personnage principal se voit confier une mission ou imposer une épreuve par son roi, ou par des forces surnaturelles ; le succès final, après bien des péripéties, couronne fréquemment l'entreprise, même lorsque le héros doit sacrifier sa vie, comme dans *La Chanson de Roland*.

Le sujet de l'épopée, le « grand fait » célébré, est souvent un événement historique ou présenté comme tel. Mais lors-

---

1. En 1675, dans le *Traité du poème épique*, du Père Le Bossu.

2. Vers grec et latin de six pieds.

qu'il s'agit d'œuvres écrites plusieurs siècles après les événements qu'elles sont censées raconter, la part de l'histoire se réduit au profit de la légende et du merveilleux. Ainsi chez Homère et Virgile, les dieux et les déesses interviennent-ils sans cesse aux côtés des héros. Plus discrètement, dans les épopées chrétiennes, Dieu, par l'intermédiaire de ses anges ou des songes envoyés à propos, se mêle à l'action. Les exploits accomplis par les héros sont eux-mêmes du domaine du merveilleux.

Le héros épique n'a de commun avec le héros de roman que le nom, ces derniers étant le plus souvent des personnages ordinaires aux prises avec un destin médiocre qui, pourtant, les dépasse : ces « héros » ne sont plus que des « anti-héros ». À l'inverse, le héros épique se distingue d'emblée du commun des mortels par ses qualités exceptionnelles.

Les héros sont entourés de multiples figurants anonymes d'où ne se détachent que de rares individualités. Ces personnages « secondaires » se classent en deux catégories : les adversaires, déclarés ou cachés (les traîtres comme Ganelon), et les alliés (Olivier). Les dieux eux-mêmes sont enrôlés soit dans le camp du héros, soit dans le camp adverse.

• Par qui les épopées sont-elles composées ?

C'est une question délicate et controversée ! Plus le texte est ancien, plus l'histoire littéraire se confond avec la légende. Les textes qui remontent à une période très lointaine (plusieurs siècles avant Jésus-Christ) sont des transpositions de récits oraux (épopée vient du du grec *épos* la parole) plus anciens encore et dont l'invention serait due à des « corporations », des « confréries » de poètes qui s'appelaient *aèdes* en Grèce, *bardes* en Gaule celtique, *filid* en Irlande... Aujourd'hui, l'Afrique perpétue cette tradition avec les *griots*.

Ils chantaient, comme les aèdes de l'*Odyssée*, devant un vaste public, les exploits des rois, des guerriers. Puis, au fil des siècles, les plus savants ou les plus hardis novateurs parmi ces poètes auraient collecté les différentes versions d'une même épopée pour en faire un récit écrit : ainsi seraient nées les œuvres d'Homère, de Valmiki ou de Turold.

Le problème des origines ne se pose plus pour les textes plus récents, de l'*Énéide* de Virgile (Ier siècle avant J.-C.) à *La Légende des siècles* de Victor Hugo.

• L'épopée moderne

Il existe, du XVIe siècle à nos jours, une littérature épique moderne riche en chefs-d'œuvre. Par rapport à leurs modèles antiques ou médiévaux, ils présentent quelques traits bien particuliers.

Alors que l'épopée traditionnelle exalte l'individu d'exception et ignore le peuple, l'épopée moderne en fait souvent son héros (ainsi les mineurs dans *Germinal*, les esclaves des Antilles dans *Ti-Jean l'Horizon* de Simone Schwartzbart). L'épopée devient collective, ce qui s'accompagne d'une remise en cause du monde tel qu'il est et de l'affirmation d'un espoir en un monde meilleur, tandis que le héros épique d'autrefois affirmait par son action son adhésion à l'ordre des choses.

En outre, l'épopée moderne n'appartient plus seulement au domaine poétique ; elle s'est emparée du roman ; elle a fourni au cinéma l'un de ses plus beaux genres, le western ; enfin les journalistes sportifs ne répugnent pas à recourir au style sublime pour rendre compte du Tour de France ou du Tournoi des Cinq Nations.

Ainsi l'épopée s'est-elle profondément renouvelée et, sous des formes parfois inattendues, continue à vivre.

LES PREMIÈRES PAGES D'UNE ÉPOPÉE

TEXTE 1

L'épopée de Gilgamesh

(Sumer, XXIVe-XVIIe siècles avant Jésus-Christ)

*Il s'agit de la plus ancienne œuvre littéraire connue, antérieure de plusieurs siècles à l'*Iliade *ou à la Bible, puisque ses différentes versions ont été composées entre 2330 et 1600 avant Jésus-Christ dans la région de Babylone.*

Roi d'Uruk, « après le Déluge[1] » dit la légende, Gilgamesh a provoqué la colère des dieux. Pour le punir, ils envoient un géant monstrueux, Enkidu, qui a mission de le capturer. Mais le combat indécis qui les oppose fait naître l'estime et l'amitié entre les deux hommes. À la mort d'Enkidu, Gilgamesh, désespéré, se répand en lamentations puis se met en quête de l'immortalité auprès du seul être humain qui en bénéficie, Utanapisti, unique survivant du Déluge.

Je vais présenter au monde
  [Celui] qui a tout vu,
Connu [la terre en]tière (?),
  Pénétré toute[s choses],
5 Et partout exp[loré]
  [(Tout) ce qui est ca]ché (?) !
[Surdo]ué (?) de sagesse,
  Il a tout emb[rassé du regard] :

1. Les dieux, ulcérés par l'agitation des hommes ont décidé de les détruire en provoquant une brusque montée des eaux.

10 Il a contemplé les Secrets,
Dé[couvert] les Mystères ;
Il nous (en) a (même) appris
Sur avant le Déluge[2] !
Retour de son lointain voyage,
15 Exténué, mais apa[isé],
[Il a gra]vé sur une stèle
Tous ses labeurs !

C'est lui qui fit édifier les murs
D'Uruk-les-clos[3]
20 Et du saint Eanna[4],
Trésor sacré !
Regarde(-moi) cette muraille,
(Serrée) comme un filet à oiseaux (?) !
Considère ce soubassement
25 Inimitable !
Palpe <cette> dalle du seuil[5]
(Amenée) de si loin !
Avance(-toi) vers l'Eanna,
Résidence d'Istar[6],
30 Que nul roi ultérieur, personne,
N'a jamais pu contrefaire ! [...]

[Excepti]onnel monarque,
Célèbre, prestigieux,
[Pr]eux rejeton d'Uruk,
35 Buffle à la corne terrible,
Il précédait (ses gens),
Entraîneur ;
(Ou bien) il (les) suivait,
Renfort des siens !
40 Puissant [fil]et-de-guerre,
Protecteur de ses troupes,

---

2. Voir note 1 p. 89.
3. Clos ou enclos : il s'agit de parc à bétail dont le nombre et l'étendue indiquent l'importance d'Uruk.
4. Temple consacré au dieu du Ciel et à sa compagne, la déesse Istar.
5. Il s'agit du seuil de la grande porte de la ville.
6. Déesse de l'amour, de la guerre, compagne du dieu du ciel.

[Mas]se d'eau démontée
Qui démolit (jusqu'aux) murs de pierre : [...]
[(Tel était ?)] Gilgamesh,
45 Parfait, éblouissant !
[(Lui qui) ouvr]it
Les passes des montagnes,
[Creu]sa des puits
Sur la nuque des monts,
50 [Pa]ssa la mer,
La Mer immense,
Jusque (là d'où) sort le Soleil[7],
[Et ex]plora l'univers entier
En quête de la vie(-sans-fin)[8],
55 [Pou]ssant, avec hardiesse,
Jusqu'à Utanapisti-le-lointain[9],
[Restaura]teur des San[ctua]ires[10]
Qu'avait anéantis le Déluge !

Gilgamesh, entre deux demi-dieux, supportant le disque solaire. Stèle syro-hittite, IXe siècle av. J.-C., Musée Archéologique, Alep.

7. Le golfe persique situé à l'est d'Uruk.
8. L'immortalité.
9. Utanapisti, prévenu par le dieu Ea, a pu construire une arche et ainsi échapper au déluge ; il s'est ensuite réfugié dans une contrée lointaine.
10. Après le déluge, Utanapisti a restauré les temples consacrés aux dieux.

Entre la multitude des hommes,
  [Il n'y en a pas] eu (?) (un)
60 [Qui] pût rivaliser [ave]c lui
  En souveraineté,
Et déclarer [comme] lui :
  « Le Roi, c'est moi, (moi) seul ! »

L'Épopée de *Gilgamesh*, texte traduit de l'akkadien par Jean Bottéro, Éd. Gallimard, 1992.

( ) *Termes absents du texte akkadien.*
[ ] *Parties de mots ou mots disparus du texte à cause des cassures des tablettes.*
< > *Omissions dues à la distraction du copiste.*
(?) *Interprétation douteuse.*

TEXTE 2

L'Odyssée

(Grèce, VIIIe siècle avant Jésus-Christ)

*Avec l'*Iliade, *l'*Odyssée *est la grande épopée grecque, attribuée à Homère ; elle aurait été composée vers la fin du VIIIe siècle avant Jésus-Christ.*

La guerre de Troie[1] ayant pris fin après dix ans de combats, les chefs grecs ont tous regagné leurs royaumes, sauf Ulysse qui erre toujours sur les mers. En effet, Hélios, dont les bœufs sacrés ont été massacrés, et Poséidon, qui veut venger son fils, Polyphème, aveuglé « par le héros aux mille ruses », le poursuivent de leur haine et l'empêchent de regagner son île, Ithaque, où l'attendent Pénélope, son épouse, et Télémaque, son fils.

---

1. Troie s'appelle également Ilion, d'où *Iliade*, titre de la première épopée homérique. L'*Odyssée* raconte les aventures d'Ulysse, *Odysseus*, en grec.

Muse[2], dis-moi le héros aux mille expédients[3] qui tant erra, quand sa ruse eut fait mettre à sac l'acropole sacrée[4] de Troade[5], qui visita les villes et connut les mœurs de tant d'hommes ! Combien en son cœur il éprouva de tourments
5 sur la mer, quand il luttait pour sa vie et le retour de ses compagnons ! Mais il ne put les sauver malgré son désir : leur aveuglement les perdit, insensés qui dévorèrent les bœufs d'Hélios Hypérion[6]. Et lui leur ôta la journée du retour. À nous aussi, déesse née de Zeus, conte ces aventures,
10 en commençant où tu voudras.

En ce temps-là tous ceux qui avaient échappé au brusque trépas étaient en leur logis, sauvés de la bataille et de la mer. Seul, Ulysse désirait encore son retour et sa femme. Une nymphe[7], Calypso, une auguste déesse, le retenait dans ses
15 grottes profondes, brûlant de l'avoir pour époux. Mais quand la roue du temps eut amené l'année où les dieux avaient filé[8] son retour au foyer, dans Ithaque, même alors, et parmi les siens il n'était pas au bout de ses épreuves. Les dieux le prenaient en pitié, tous excepté Posidon[9],
20 dont l'implacable rancune poursuivait le divin Ulysse jusqu'à son retour au pays.

Homère, *L'Odyssée*,
Chant I, trad. Médéric Dufour et Jeanne Raison,
Éd. Garnier Frères, Paris 1961.

Poséidon, gravure de Le Brun (1619-1690), BN, Paris.

---

2. Divinité inspiratrice des poètes, fille de Zeus.
3. Ruses : l'intelligence et la prudence sont parmi les principales qualités d'Ulysse.
4. Partie haute d'une ville (*akropolis* signifie « ville haute ») où étaient construits les temples ; elle servait aussi de forteresse. La plus célèbre est à Athènes.
5. Région de Troie.
6. Hélios est le soleil. Hypérion signifie « le haut ».
7. Divinité des eaux, ici, de la mer.
8. Métaphore : la vie de l'homme est un fil.
9. Ou Poséidon, dieu de la mer.

TEXTE 3

L'Énéide

(Rome, Ier siècle avant Jésus-Christ)

*L'*Énéide *est l'œuvre du grand poète latin Virgile qui la composa de 29 à 19 avant Jésus-Christ. De même que l'*Odyssée *raconte le retour d'Odysseus (Ulysse) dans sa patrie après la prise de Troie, l'*Énéide *raconte comment Enée échappa aux Grecs et, fuyant avec ses compagnons, traversa lui aussi la Méditerranée pour atteindre les rivages du Latium, en Italie, où l'un de ses descendants, Romulus, fondera Rome.*

Je chante les combats et ce héros qui, le premier, des rivages de Troie, s'en vint, banni du sort, en Italie, aux côtes de Lavinium[1] : longtemps il fut le jouet, et sur terre et sur
5 mer, de la puissance des dieux Supérieurs[2], qu'excitaient le ressentiment et le courroux de la cruelle Junon ; longtemps aussi il eut à souffrir les maux de la guerre, avant de fonder une ville et de transporter ses dieux[3] dans le Latium[4] : de là sont sortis la race Latine, les pères Albains[5] et les remparts
10 de la superbe Rome.

Muse, rappelle-moi les causes de ces événements, dis-moi pour quelle offense à sa divinité, pour quelle injure, la reine des dieux[6] poussa un héros, insigne par sa piété, à courir tant de hasards, à affronter tant d'épreuves. Est-il tant de cour-
15 roux dans l'âme des dieux célestes ?

Il fut une ville antique (des colons de Tyr l'habitèrent), Carthage, dressée au loin en face de l'Italie et des bouches du Tibre[7], abondante en richesses et redoutable par son ardeur guerrière. Junon la préférait, dit-on, à toutes les autres

1. Ville du Latium, fondée par Énée.
2. Junon, alliée à Neptune et Éole.
3. Les Pénates de Troie.
4. Région d'Italie qui entoure Rome.
5. Les Albains sont considérés comme les ancêtres des Romains.
6. Junon.
7. Fleuve qui arrose Rome.

20 terres, et à Samos elle-même[8] : c'est là qu'elle avait ses armes et son char ; c'est à lui faire obtenir l'empire du monde, si les destins le permettent, que dès lors elle tend ardemment. Mais elle avait appris qu'une race, issue du sang troyen[9], renverserait un jour la citadelle tyrienne ; qu'un peuple, ré-
25 gnant au loin et superbe à la guerre, viendrait d'elle pour la ruine de la Libye : ainsi le voulait le destin déroulé par les Parques[10]. À cette crainte et au souvenir de la guerre qu'elle avait jadis soutenue devant Troie pour ses Argiens chéris[11], la Saturnienne[12] joignait des raisons de haine et des ressen-
30 timents cruels qui n'étaient pas encore sortis de sa mémoire : elle garde, gravé au fond de son cœur, le jugement de Paris[13], l'injure de sa beauté méprisée, l'horreur d'une race odieuse, l'enlèvement et les honneurs de Ganymède[14]. Enflammée, par ces outrages, elle repoussait loin du Latium les Troyens,
35 jouets de la mer immense, restes de la fureur des Danaens[15] et de l'impitoyable Achille[16] ; depuis de longues années, poursuivis par le sort, ils erraient de mer en mer : tant était lourde la tâche de fonder la nation romaine !

L'Énéide, Virgile, Chant I, trad. Maurice Rat, Éd. Garnier Frères, Paris, 1965.

Comparer les trois textes

1. Vous venez de lire des extraits de trois épopées, *Gilgamesh, l'Odyssée, l'Énéide* : à quoi voyez-vous qu'il s'agit des premières lignes de ces textes ?

2. Qui parle dans chacun de ces textes ? À qui s'adresse cette personne dans *Gilgamesh* ? dans les deux autres textes ? Quelle est la différence ?

3. Étudiez le plan de chacun des trois extraits : quels sont les points communs ?

---

8. Où Junon est née.
9. Les Romains, qui prétendaient descendre d'Énée détruisirent Carthage lors des guerres puniques.
10. Les trois déesses qui présidaient à la destinée humaine.
11. Les Grecs.
12. Junon, fille de Saturne.
13. Junon, Vénus et Minerve se disputaient la pomme d'or sur laquelle était gravée cette formule : « À la plus belle ». Le berger Pâris, fils de Priam, roi de Troie, la donna à Vénus, ce qui provoqua la rancune de Junon.
14. Prince troyen qui ayant plu à Jupiter, remplaça Hébé, fille de Junon, comme échanson des dieux.
15. Autre nom des Grecs.
16. Le plus célèbre héros grec.

4. Faites le portrait moral de chacun des héros, Gilgamesh, Ulysse, Énée : quels traits communs les rapprochent ? Quelles qualités propres les distinguent ?

5. Gilgamesh, Ulysse et Énée ont tous trois connu des destins extraordinaires : quels rapprochements pouvez-vous faire entre ces destins ?

6. Quels autres personnages sont également présentés dans ces trois extraits ?

7. Caractérisez le style de ces trois textes par l'étude du vocabulaire, des figures de style et du rythme.

Se documenter

À l'aube de l'histoire, le premier empire

C'est dans la partie méridionale de la Mésopotamie, près du Golfe Persique, qu'apparaissent les premières cités-États, au cours du IVe millénaire avant Jésus-Christ, il y a presque six mille ans ! Ces cités ont été fondées par deux peuples qui, semble-t-il, fusionnèrent : les Sumériens et les Akkadiens. Mis à part les ruines de leurs villes – Ur (Sumer), Uruk, Ur-Lagash –, ces civilisations ont légué au monde une invention capitale : l'écriture. Elles sont donc aussi à l'origine de l'histoire.

Gilgamesh, avant d'être un héros de légende, fut un personnage historique : il régna sur la ville d'Uruk vers 2700 avant Jésus-Christ. Sa ville était fameuse pour ses monuments, en particulier, le temple du Ciel ou Eanna, consacré au dieu du Ciel et à sa compagne, la déesse Istar, déesse de l'amour, de la guerre et de la planète Vénus (elle sera plus tard assimilée par les Grecs à Aphrodite). Les ruines d'Uruk, situées à mi-chemin entre Bagdad et Bassorah, ont été découvertes en 1912 par des archéologues allemands. Quant à l'histoire de son roi, elle ne fut connue de l'Occident qu'au XIXe siècle, lorsque des archéologues anglais découvrirent, dans les ruines d'Ur, de Babylone ou de Ninive, les tablettes d'argile qui la racontaient.

Malgré la date tardive de cette redécouverte, l'épopée de Gilgamesh est une œuvre capitale dont l'influence directe ou indirecte se fit sentir bien au-delà de son époque et de son aire géographique d'origine. En effet, de nombreux épisodes se retrouvent dans d'autres œuvres majeures. Il en est ainsi du déluge qui anéantit l'humanité entière, sauf un homme, qui sauva sa famille (et un certain nombre d'animaux) en construisant un navire : Utanapisti devint Noé dans la Bible, Yima en Perse, Manu en Inde et Deucalion en Grèce.

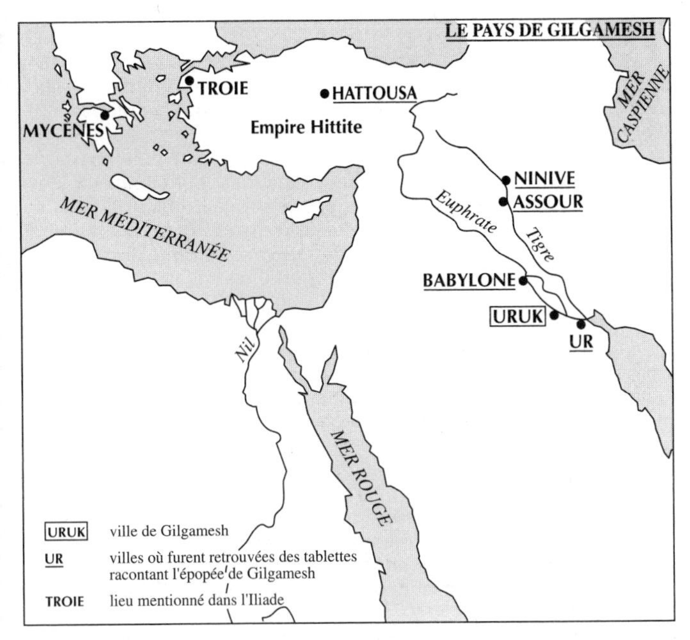

Situez sur cette carte la Mésopotamie. Situez la Grèce.

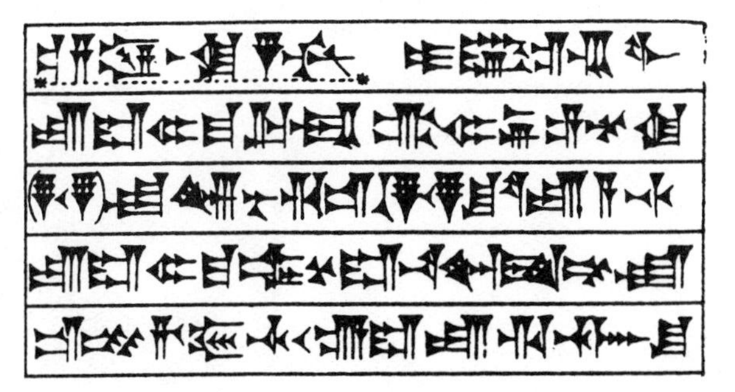

Reproduction d'une partie d'une tablette retrouvée à Ninive (IIe millénaire av. J.-C.) sur laquelle était gravée en caractères cunéiformes un épisode de l'épopée de Gilgamesh.
In *L'Épopée de Gilgamesh*, Jean Bottero, éd. Gallimard.

Virgile

Virgile est né en 71 ou 70 avant Jésus-Christ à Mantoue, ville d'Italie du nord mais il passe la majeure partie de sa vie à Rome et à Naples. Il révèle très tôt ses talents de poète, puisqu'il compose son premier recueil de vers à l'âge de 23 ans. Il s'agit des *Bucoliques*, où il chante la vie des bouviers de Sicile. Puis, en 28, il fait paraître les *Géorgiques*, poème de la terre qui décrit les travaux des champs. Devenu l'ami du premier empereur de Rome, Auguste, et de son ministre Mécène, qui protège les artistes, Virgile entreprend à partir de 29 ce qui sera son chef-d'œuvre : l'*Énéide*. Il meurt en 19 avant Jésus-Christ, alors qu'il rentrait d'un voyage en Grèce.

L'*Énéide*

L'*Énéide* exalte les origines de Rome : le héros fondateur, Romulus, est présenté comme le descendant d'Énée, fils d'Aphrodite-Vénus. Ainsi par ses racines qui la rattachent à la Grèce et à l'Orient où était située Troie, le destin de Rome est bien de dominer et de réconcilier tout le monde méditerranéen. Héritière de civilisations prestigieuses, elle les introduit dans un Latium encore barbare. Enfin, l'épopée célèbre la famille de l'empereur : la gens *Iulia* dont l'ancêtre éponyme[1] n'était autre que *Iule*[2] (Ascagne pour les Grecs) fils d'Énée. Ainsi, Auguste, restaurateur de la paix et reconstructeur de l'empire, après les deux terribles guerres civiles qui avaient ravagé Rome, voyait son pouvoir légitimé par cette illustre ascendance.

Restée inachevée à la mort de Virgile, l'*Énéide* paraît néanmoins sur l'intervention d'Auguste : la glorification de ses ancêtres n'était pas pour lui déplaire.

L'œuvre de Virgile fut universellement admirée : c'est lui que Dante, le grand écrivain italien du XIVe siècle choisit comme guide aux enfers dans sa *Divine Comédie*.

Virgile entre deux Muses.
Mosaïque de Sousse.
Début du IIIe siècle,
Tunis, Musée du Bardo.

1. Qui donne son nom à la famille (la gens).
2. D'où vient le nom de famille de César : Jules (Iulius) ; César était l'oncle d'Auguste.

Homère

Un festin chez Alkinoos

Le roi des Phéaciens, Alkinoos, donne un grand festin. L'aède[1] *s'avance : il va chanter l'épopée devant les hôtes rassasiés. Parmi eux, un mystérieux étranger qui n'est autre qu'Ulysse.*

Déjà l'on coupait les parts et l'on mêlait le vin. Le héraut[2] s'approcha, conduisant le fidèle aède, Démodocos, honoré des peuples ; il le fit asseoir[3] au milieu des convives, adossé à une haute colonne. Alors Ulysse fécond en ruses dit, au
5 héraut, après avoir tranché dans l'échine, mais en laissant la plus grande part, un morceau d'un porc aux dents blanches, tout garni d'une graisse abondante : « Héraut, tiens ça, porte cette viande à Démodocos, pour qu'il la mange ; je veux le saluer, tout affligé que je suis. Pour tous les hommes qui sont
10 sur terre les aèdes sont dignes d'honneur et de respect, parce que la Muse[4] leur a enseigné leurs chants et qu'elle aime la tribu des chanteurs. » Ainsi parlait-il ; le héraut porta la part de viande et la mit aux mains du divin Démodocos,

1. Poète qui chante l'épopée.
2. Officier, serviteur, chargé de transmettre les messages et d'annoncer les hôtes.
3. Démodocos, l'aède, devait être guidé, parce qu'il était aveugle, comme Homère.
4. Divinité inspiratrice des poètes.

qui la reçut et se réjouit en son cœur. Les convives portaient
15 les mains aux mets servis devant eux. Quand ils se furent rassasiés du boire et du manger, alors Ulysse fécond en ruses adressa ces paroles à Démodocos : « Démodocos, je t'estime bien au-dessus de tous les mortels : ou c'est la Muse, fille de Zeus, qui t'enseigna tes chants, ou c'est Apollon[5] ; car tu
20 chantes avec une trop belle ordonnance le malheur des Achéens[6], tout ce qu'ils ont accompli, tout ce qu'ils ont souffert, tous leurs travaux ; on dirait que tu étais présent en personne, ou bien tu as entendu le récit d'un témoin. Allons, change de sujet, chante l'arrangement du cheval de bois,
25 qu'Epéios[7] construisit avec l'aide d'Athéné[8], et que par ruse l'illustre Ulysse introduisit dans l'acropole[9], après l'avoir rempli d'hommes, qui mirent Ilios[10] à sac. Si tu me contes cette aventure dans un détail exact, je proclamerai aussitôt devant tous les hommes, que la faveur d'un dieu t'a octroyé
30 ton chant divin. »

Ainsi parlait-il ; et l'aède inspiré par un dieu commençait et déroulait son chant ; il avait pris au moment où, montés sur leurs vaisseaux aux solides bordages, les Argiens[11] s'en allaient, après avoir mis le feu à leurs tentes ; déjà les autres,
35 enfermés dans le cheval auprès du très fameux Ulysse, étaient sur l'agora[12] des Troyens, car les Troyens eux-mêmes l'avaient tiré dans leur acropole. Le cheval se dressait là, et les Troyens tenaient d'infinis discours, sans rien résoudre, arrêtés autour de lui. Trois partis se partageaient leur faveur :
40 ou bien percer le bois creux avec le bronze impitoyable, ou le précipiter des rochers en le tirant au sommet, ou le respecter comme une offrande propitiatoire[13] aux dieux ; c'est ce dernier conseil qui devait enfin prévaloir ; la ruine était fatale depuis que la cité enfermait dans ses murs le grand
45 cheval de bois, où étaient embusqués tous les Argiens les plus vaillants, apportant le meurtre et la mort. L'aède chantait aussi comment la ville fut mise à sac par les fils des

---

5. Dieu de la beauté et des arts.
6. Les Grecs.
7. Guerrier grec, qui construisit le cheval de Troie.
8. Ou Athéna, déesse de la guerre et de la sagesse, protectrice des Grecs et d'Ulysse.
9. Voir note 4 p. 93
10. Ou Ilion, autre nom de Troie.
11. De la ville d'Argos, en Grèce. Ce mot désigne les Grecs.
12. Grand place de la ville.
13. Qui vise à obtenir la faveur des dieux.

Achéens, répandus hors du cheval, après avoir quitté leur embuscade creuse. Il chantait comment chaque guerrier ravagea pour sa part la ville haute ; puis comment Ulysse était allé, tel Arès[14], droit à la demeure de Déiphobe[15], avec Ménélas[16] égal à un dieu. C'est là qu'il avait soutenu le plus terrible combat et fini par vaincre, grâce à la magnanime Athéné.

Tels étaient les exploits que chantait l'illustre aède. Cependant le cœur d'Ulysse se fondait, et des larmes, coulant de ses paupières, mouillaient ses joues. Comme une femme pleure, prostrée sur le corps de son époux, tombé devant la cité et son peuple, en combattant pour écarter de sa ville et de ses enfants l'impitoyable jour : le voyant mourant et palpitant encore, elle se jette sur lui en poussant des gémissements aigus ; et, derrière elle, les ennemis, lui frappant de leurs lances le dos et les épaules, l'emmènent en esclavage, pour souffrir peines et misères : la plus pitoyable angoisse flétrit ses joues. Ainsi Ulysse répandait sous ses sourcils des larmes émouvantes.

Homère, *L'Odyssée*, chant 8, traduction de Médéric Dufour et Jeanne Raison, Éd. Garnier Frères, Paris 1961.

Comprendre le texte

1. Comment Ulysse s'y prend-il pour obtenir de Démodocos qu'il chante ? En quoi sa façon d'agir montre-t-elle à la fois qu'il est bien le « héros aux mille ruses » et qu'il éprouve du respect et de l'admiration pour l'aède ?

2. En faisant chanter les louanges de Démodocos par Ulysse, de qui l'auteur de l'*Odyssée* fait-il en réalité l'éloge ?

3. Quelle histoire l'aède chante-t-il ?

4. Comment expliquez-vous la réaction d'Ulysse ? En quoi la comparaison finale est-elle particulièrement émouvante ?

---

14. Dieu de la guerre.
15. L'un des fils de Priam ; il a épousé Hélène à la mort de Pâris. Déiphobe sera tué par Ménélas.
16. Roi de Sparte, époux d'Hélène.

Analyser les techniques d'écriture

Le style de l'épopée : la formule

La « formule » est un groupe de mots qui accompagne de façon répétée le nom d'un personnage et précise une de ses qualités. Relevez toutes les formules de ce passage en indiquant quelle est la qualité mentionnée.

Étudier le vocabulaire

Quel est le sens des mots « héros » et « héraut » ? Y a-t-il un rapport entre les deux ? Comment appelle-t-on ce type de mots ?

Se documenter

La civilisation mycénienne

Cette très ancienne civilisation grecque fut florissante de 1600 à 1100 avant Jésus-Christ. Elle appartenait à l'âge du bronze. Elle doit son nom à la ville de Mycènes qui fut la capitale d'un empire s'étendant à la Grèce continentale, aux îles de la mer Égée et aux côtes de l'Anatolie. Cette expansion donna naissance aux récits concernant la guerre de Troie dont la réalité historique semble établie : elle aurait duré de 1193 à 1184 avant Jésus-Christ.
Au XIXe siècle, l'archéologue allemand Schliemann, en suivant les indications de l'*Iliade*, redécouvrit sur le site de Troie, les traces de neuf villes superposées et, en Grèce, de nombreux monuments de Mycènes dont le fameux tombeau d'Agamemnon.

Homère

L'auteur de l'*Iliade* et de l'*Odyssée* semble aussi légendaire que ses personnages. Nous ne connaissons rien avec certitude de sa vie qui a pourtant été racontée avec beaucoup d'assurance par le grand historien grec Hérodote. Beaucoup de cités grecques prétendent lui avoir donné le jour, ainsi Smyrne et l'île de Chio où une confrérie d'aèdes portait son nom : les Homérides. Aucune certitude non plus quant à l'époque à laquelle il a vécu : le VIIIe siècle avant Jésus-Christ, soit quatre siècles après la destruction de cette civilisation mycénienne dont il sut si bien chanter la gloire. Cette hypothèse se fonde sur les dates attribuées à l'*Iliade* et l'*Odyssée* (fin et début du VIIIe siècle).

Hérodote prête à Homère une vie aussi errante que celle d'Ulysse : tantôt captif – comme le suggère l'étymologie de son nom (otage et non aveugle), tantôt libre et participant à des concours de poésie, Homère aurait parcouru une bonne partie du monde grec. C'est Hérodote, sans doute inspiré par le chant VIII de l'*Odyssée*, qui popularise la légende d'Homère, aède aveugle.
L'œuvre d'Homère a été admirée dans toute la Grèce antique et considérée comme sacrée, à l'instar du *Râmâyana* en Inde et de la Bible en Israël : l'éducation des jeunes Grecs était fondée, pour une bonne part, sur l'apprentissage de l'*Iliade* et de l'*Odyssée* à tel point que le philosophe Platon pouvait dire quatre siècles plus tard : « Cet homme a fait l'éducation de la Grèce ».

Enquêter

Relevez les renseignements que ce passage de l'*Odyssée* nous donne sur :
- la vie au palais d'un roi de l'époque mycénienne ;
- la place de l'aède dans la société de cette époque ;
- l'art de l'aède.

Complétez ce travail par une recherche en bibliothèque ou dans votre C.D.I. sur la civilisation mycénienne.

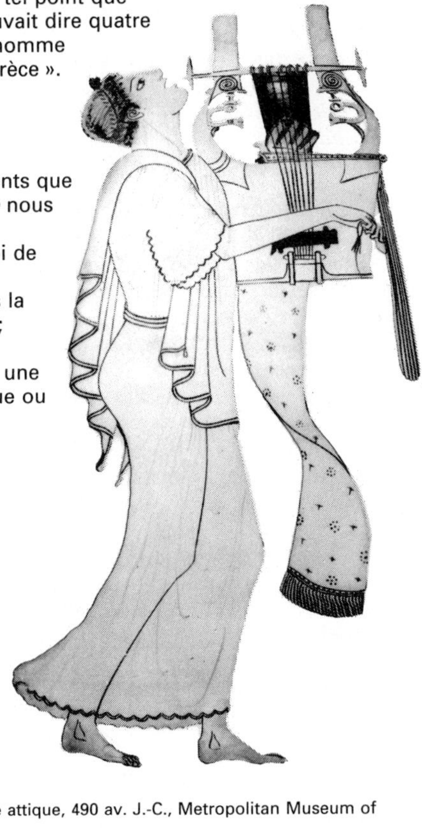

Le cytharède. Détail d'un vase attique, 490 av. J.-C., Metropolitan Museum of Art, New York.

L'ENFANCE DU HÉROS ÉPIQUE

Setanta, le surdoué

(Irlande, VIIIe-XIIe siècles)

Comme tout héros d'épopée, le neveu de Conor, roi d'Ulster, le petit Setanta, est un enfant exceptionnel : d'abord, il est le fils de Lug, dieu du soleil ; ensuite, il accomplit, dès son plus jeune âge, des exploits extraordinaires qui ne sont égalés que par ceux d'Hercule : n'est-il pas capable, à cinq ans de tenir tête à 150 jeunes princes ? L'année suivante, Conor demande à son neveu de l'accompagner chez le forgeron Culann.

L'année suivante, un forgeron de l'Ulster, Culann, se présenta devant le roi, à Evinn. Il voulait lui offrir un festin[1].

- Je ne peux malheureusement inviter tout le Rameau rouge[3], dit-il au roi. Mon domaine est modeste et le revenu que je tire de ma forge, trop mince.

- Sois tranquille, répondit le roi, ma suite sera réduite ; je n'amènerai que quelques fidèles avec moi.

Culann remercia et s'en retourna chez lui pour préparer le banquet.

Vers la fin de l'après-midi, Conor se couvrit d'un manteau et il sortit dans la prairie prendre congé des garçons qui jouaient à s'arracher leurs vêtements. Le spectacle l'étonna fort.

- C'est incroyable, dit-il aux gens de sa suite. Mon neveu[3] joue seul contre tous et il va gagner la partie. Regardez : il les met tout nus et eux ne réussissent même pas à lui retirer la broche de son manteau. Qu'on l'appelle, il nous accompagnera chez Culann.

- Non, déclara le garçon quand il fut devant le roi, son oncle, je n'irai pas avec vous.

---

1. C'est une coutume quasi-obligatoire.
2. C'est le nom de la demeure de Conor.
3. Setanta.

- Et pourquoi cela ?

- Parce que les enfants n'ont pas encore leur content de jeux ; je ne les quitterai que lorsqu'ils en auront assez de jouer.

- Il serait trop long pour nous de t'attendre, dit Conor.

- Allez devant, j'irai à votre suite.

- Mais tu ne connais pas du tout la route, mon neveu !

- Je suivrai les traces des chars.

Le roi et ses compagnons se rendirent chez Culann. Le forgeron les accueillit comme il convenait : il fit répandre des roseaux frais sur le sol de la maison et il invita ses hôtes à prendre place autour du feu.

Les cornes à bière avaient été généreusement remplies plusieurs fois lorsque Culann s'adressa au roi.

- Eh bien, Conor, as-tu ordonné à quelqu'un de te suivre ici, ce soir ?

- Je n'ai rien ordonné de pareil, répondit le roi, qui ne se souvenait plus du petit garçon. Pourquoi ?

- C'est que j'ai un bon chien de combat, un fauve capable de dévorer tous les rôdeurs du monde. Je ne voudrais pas qu'on lui ôte sa chaîne si tu attends quelqu'un.

- Tu peux le lâcher, dit Conor, je n'attends personne.

On libéra le chien qui fit un tour rapide de la cour avant de gagner la butte où il se tenait pour surveiller son territoire...

Le soleil était couché lorsque Setanta arriva près de la maison du forgeron. Le chien se mit à aboyer méchamment et il fonça sur le visiteur en montrant les crocs. Setanta avait sa balle d'argent à la main. Il la lança sur la bête. La balle traversa la gueule du chien et elle emporta tout ce qu'il avait d'entrailles par la porte de derrière. Le garçon saisit alors le molosse par deux pattes et il le battit contre une grosse pierre jusqu'à ce que ses membres tombassent en morceaux.

Conor avait entendu les aboiements rauques du chien et, brusquement, le souvenir de Setanta lui revint ; il imagina l'enfant déchiqueté par les crocs de la bête féroce et il poussa un cri.

- Hélas, ô guerriers ! dit-il aux Ulates[4] qui l'entouraient, nous n'aurions jamais dû venir chez Culann.

---

4. C'est le nom des nobles d'Ulster.

60 - Pourquoi cela ? demanda chacun.

- Le petit garçon qui devait me suivre, le fils de ma sœur, Setanta, le chien l'aura tué, c'est sûr !

Les glorieux Ulates se levèrent d'un même mouvement, mais Fergus[5] fut le plus rapide et il arriva le premier auprès 65 du petit garçon. Quelle ne fut pas sa surprise alors de découvrir Setanta sain et sauf ! Il le plaça sur son épaule et l'emporta en triomphe vers le roi. Culann, lui, venait d'apercevoir les pauvres restes de son chien : il sentit son cœur cogner contre ses côtes et il rentra dans sa demeure.

70 - Il aurait mieux valu que tu n'aies pas invité ce garçon ici, lança-t-il au roi. Car c'en est fini de ma vie, maintenant que mon chien est mort. Oui, petit, c'était un bon domestique, le chien que tu m'as pris ; avec lui, je n'avais pas de souci à me faire : mes biens étaient à l'abri.

75 - Ne te fâche pas, maître Culann, dit Setanta, et écoute-moi plutôt, car je vais porter un jugement équitable sur cette affaire.

- Quel jugement vas-tu porter, mon garçon ? s'étonna Conor.

80 - S'il existe un jeune chien de la race de ce chien en Irlande, je l'élèverai jusqu'à ce qu'il soit en mesure d'agir comme son père. D'ici là, je serai le chien protecteur des biens de Culann.

- Tu as porté un bon jugement, admit Conor.

85 - Nous n'en aurions pas porté un meilleur, déclara Cava le druide. Pourquoi ne t'appellerait-on pas Couhoulinn, le Chien de Culann, maintenant ?

- Non, je préfère mon nom à moi, Setanta.

- Ne dis pas cela, petit garçon, répondit Cava, car un temps 90 viendra où les hommes d'Irlande n'auront que ce nom-là à la bouche.

- Je veux bien que ce soit mon nom, alors.

Et c'est ainsi que Setanta devint Couhoulinn, le Chien du Forgeron.

Alain Déniel, Willi Glasauer, *Le Rameau rouge d'Irlande*, Éd. Casterman (1992).

---

5. *Fergus mac Roig*, roi d'Ulster qui a dû abdiquer en faveur de Conor. C'est le maître de Setanta.

Comprendre le texte

Un exploit hors du commun

1. Quel est l'âge de Setanta ? À votre avis, pourquoi son oncle, le roi Conor, veut-il l'emmener chez le forgeron ? Pourquoi Setanta ne peut-il l'accompagner tout de suite ? Comment pense-t-il le rejoindre ? En quoi sa réponse est-elle surprenante ?

2. Relevez dans le texte les termes qui décrivent le chien de Culann : qu'en concluez-vous ?

3. *Nous n'aurions jamais dû venir chez Culann* dit Conor ; et Culann répond : *il aurait mieux valu que tu n'aies pas invité ce garçon ici.* Expliquez chacune de ces deux phrases : quels sentiments traduisent-elles ? Quel événement s'est-il produit entre ces deux phrases ? En quoi est-il particulièrement extraordinaire ?

4. Pourquoi Culann regrette-t-il la perte de son chien ? Que lui propose Setanta ?

5. À quoi correspond, dans la vie de Setanta, le changement de nom suggéré par le druide ? Pourquoi le jeune garçon refuse-t-il en un premier temps ce nouveau nom ? Pourquoi l'accepte-t-il finalement ? En quoi cela annonce-t-il son destin de héros ?

Étudier un personnage

Faites le portrait de Setanta-Couhoulinn : de quelles qualités physiques, intellectuelles et morales fait-il preuve ? À quels héros épiques grecs vous fait-il penser lorsqu'il tue ce terrible chien et lorsqu'il s'enthousiasme à l'idée de son futur renom ?

S'exprimer

Exposé

Les naissances extraordinaires et l'enfance des héros dans la mythologie et l'épopée : Dyonisos, Hercule, Achille, Romulus et Rémus, Gargantua. Faites-en ressortir les éléments merveilleux.

Se documenter

À propos du Rameau rouge

Le Rameau rouge est la demeure de Conor, un roi que la légende fait vivre dans l'Irlande païenne. Son royaume couvre le nord de l'île : c'est l'Ulster, le pays des Celtes ulates. Comme tous les peuples de l'Irlande préchrétienne, les Ulates vivent groupés en tribus autonomes. Sur chacune d'elles, un guerrier noble choisi par les hommes libres de la communauté exerce son autorité de chef. Il réside dans son dun, un fort bâti en bois, entouré de prairies et de forêts. Dans cette civilisation sans ville, la richesse principale est le bétail, et pour accroître ses troupeaux, le noble n'hésite pas à s'emparer des bêtes d'autrui. Quand un conflit éclate, les grands vont à la guerre montés sur des chars attelés à deux chevaux ; les combats singuliers sont nombreux et se déroulent presque toujours sur des gués. La coutume veut que l'on décapite les ennemis tués. En temps de paix, les guerriers retrouvent les plaisirs de la chasse et du festin. [...]

Durant les années cinquante avant Jésus-Christ, César avait découvert en Gaule des sociétés semblables à celle-ci. Sa conquête les fit disparaître. L'Irlande en revanche ne fut jamais envahie par les Romains et la civilisation de l'ancienne Europe celtique put s'y perpétuer jusqu'au IVe siècle de notre ère. Le cycle du Rameau rouge a gardé le souvenir de ces temps et les spécialistes estiment qu'il les évoque fidèlement même si les rois et les héros de l'épopée irlandaise sont probablement des personnages légendaires, sans racines historiques. À côté d'eux, des dieux se manifestent parfois, mais ils ne cherchent pas à imposer leur volonté aux hommes. Cette liberté laissée à la race humaine, les héros n'en profitent guère. Car pour conquérir la gloire et la conserver, ils doivent se conformer au dur code des guerriers. Couhoulinn, lui, a été récompensé de ses peines : le souvenir de ses exploits a traversé les siècles, et aujourd'hui encore, son nom résonne sur le sol irlandais.

Les récits du Rameau rouge ont pour origine une tradition orale. C'étaient des œuvres en prose, et pour chaque récit, le conteur – le filid – avait en mémoire une trame sur laquelle il brodait. Plus tard, lorsque le christianisme eut introduit l'usage de l'écriture en Irlande, une partie des légendes fut transcrite et les premières rédactions remontent au début du VIIIe siècle. Elles ont disparu. Les textes qui ont survécu sont des copies postérieures à l'an 1100. Beaucoup proviennent des grandes abbayes de l'île. Les moines étaient pourtant critiques à l'égard des légendes épiques. Mais il ne leur échappait pas qu'un pan de l'histoire irlandaise risquait de sombrer si elles disparaissaient. C'est ainsi que l'épopée a pu nous parvenir.

Alain Déniel, Willi Glasauer, *Le Rameau rouge d'Irlande*,
Éd. Casterman.

Les métamorphoses de Couhoulinn

Couhoulinn, le protecteur du royaume d'Ulster, se charge d'arrêter les invasions des Irlandais du Sud, souvent à lui seul. Un noble d'Ulster ayant refusé de livrer un taureau magnifique à Medb, reine du Connaught, celle-ci rassemble les guerriers des quatre provinces d'Irlande du Sud, Connaught, Leinster, Munster et Meath, pour envahir l'Ulster. Sur leur chemin, ils massacrent cent cinquante jeunes nobles d'Ulster. Couhoulinn, averti par son père, le dieu Lug, décide de les venger.

- Eh bien, maître Loeg[1] dit Couhoulinn, allons venger les garçons.
- Allons-y, oui.
- Le char à faux[2], maître Loeg, peut-tu l'atteler ? Si tu as
5 son équipement et son harnachement, attelle-le.

Loeg s'affaira et il commença par mettre à ses chevaux des cuirasses de fer ouvragé qui, du front aux pieds, les couvraient de dards[3], de lances et de durs piquants.

Couhoulinn, de son côté, revêtit son équipement de lutte
10 et de bataille : il mit les vingt-sept chemises cirées et raides comme des planches, qui, sous des liens et des cordes, enserraient sa blanche peau ; il mit sa ceinture de combat

1. Compagnon de Couhoulinn, conducteur de son char de combat.
2. Les chars de combats étaient équipés de lames fixées sur le moyeu des roues : elles coupaient les rayons des roues des chars adverses ou les jarrets des chevaux. Les chars de combats ont été utilisés par les Celtes pendant l'Antiquité mais étaient abandonnés depuis longtemps à l'époque médiévale quand ce texte fut écrit.
3. Piques.

par-dessus, une ceinture de cuir dur, tanné, faite de la peau des épaules de sept taureaux, qui le recouvrait de la taille aux 15 aisselles ; sur elle, les lames, les lances, les pointes ricochaient comme elles l'auraient fait sur une pierre, un roc ou une cotte d'écailles ; il mit son tablier de velours rayé au bord d'or blanc bariolé sur son tendre ventre ; puis il plaça son tablier de cuir sombre et souple par-dessus. Le royal 20 héros rassembla ses armes de lutte et de bataille ensuite : il prit ses huit petites épées en plus de son épée au pommeau d'ivoire brillant ; il prit ses huit petites lances en plus de sa lance à cinq pointes ; il prit ses huit petits javelots en plus de son javelot à poignée d'ivoire ; il prit son casque à crête 25 enfin et le mit sur sa tête.

Alors les premières contorsions[4] se produisirent chez Couhoulinn, et il devint horrible, monstrueux, méconnaissable. Ses jambes tremblèrent comme des branches battues par le courant d'un fleuve. Ses pieds, ses tibias et ses genoux pas- 30 sèrent derrière lui ; ses talons, ses mollets et ses fesses lui vinrent sur le devant. Les tendons de son crâne se ramassèrent dans le creux de sa nuque en boules énormes, innombrables, inouïes. Un de ses yeux s'enfonça dans sa tête, si profondément qu'un héron aurait eu du mal à l'atteindre avec 35 son bec. L'autre œil enfla et retomba sur la joue. De sa bouche grande ouverte, des nappes de feu sortirent, aussi épaisses, chacune, que la toison d'un mouton de trois ans. Son cœur se mit à battre contre ses côtes, avec un bruit pareil au rugissement d'un lion en train d'assaillir des ours. Des jets de 40 vapeur venimeuse et des étincelles de feu ardent fusèrent dans les nuées au-dessus de sa tête, sous l'effet du bouillonnement de sa furieuse colère. Ses cheveux se dressèrent, emmêlés comme des branches d'aubépine rouge : on aurait pu secouer un pommier au-dessus, pas un fruit n'aurait touché le sol, 45 tous se seraient plantés sur les cheveux que la fureur hérissait. La lumière du héros jaillit de son front, longue et large comme la pierre à aiguiser d'un guerrier. Puis, aussi haut, aussi fort, aussi long que le mât d'un grand navire, ce fut un trait de sang sombre qui s'éleva tout droit du sommet de sa tête pour

4. Mouvements violents de torsion des membres et du visage.

50 former un sombre brouillard, semblable à la fumée qui sort d'un palais quand le roi vient y festoyer au soir d'un jour d'hiver.

Ces contorsions achevées, Couhoulinn sauta dans son char de guerre que Loeg avait équipé de griffes de fer, de fins 55 tranchants et de crocs, de durs piquants et de pointes acérées, de ciseaux et de clous aigus sur les essieux, les cintres et les attaches. Mais il ne s'élança pas tout de suite à l'assaut de l'armée. Il décrivit d'abord un grand cercle autour d'elle, en imposant un train bien lourd à ses chevaux ; et derrière son 60 équipage s'élevèrent, comme les fortifications d'un château, des amoncellements de terre et de rocs, de galets et de graviers, tout ce que les roues de fer du char projetaient du sol dans les airs.

Son circuit achevé, il piqua vers les bataillons et il éleva 65 une barrière de corps sur le pourtour de leurs rangs. Trois fois il les chargea de cette façon et c'est à peine si un guerrier sur trois put s'échapper sans avoir une cuisse ou un côté du crâne brisé, un œil crevé ou quelqu'une de ces marques qui restent à jamais.

70 Couhoulinn s'éloigna ensuite, sain et sauf, comme ses chevaux et son cocher. Les fils ulates étaient vengés.

Alain Déniel, Willi Glasauer, *Le Rameau rouge d'Irlande*, Éd. Casterman (1992).

Comprendre le texte

1. Quelles sont les différentes étapes de la préparation de Couhoulinn à la bataille ?

2. À votre avis, en quoi les contorsions de Couhoulinn lui sont-elles utiles ? En quoi font-elles partie de la préparation du héros au combat ?

3. Pourquoi Couhoulinn fait-il d'abord le tour de l'armée ennemie avant de l'attaquer ?

Analyser les techniques d'écriture

Les comparaisons

Relevez les comparaisons dans le paragraphe consacré aux contorsions de Couhoulinn : classez-les selon la nature du comparant. Expliquez pourquoi ces comparaisons rendent les contorsions de Couhoulinn particulièrement horribles et font du héros un être fantastique.

Comparer

La fureur du guerrier épique

1. De quelles laisses de *La Chanson de Roland* ce passage peut-il être rapproché ? Justifiez votre réponse par des citations précises.

2. À quels personnages de la mythologie grecque, à quels héros de la littérature fantastique ou enfantine moderne, Couhoulinn vous fait-il penser lorsqu'il subit ces transformations ?

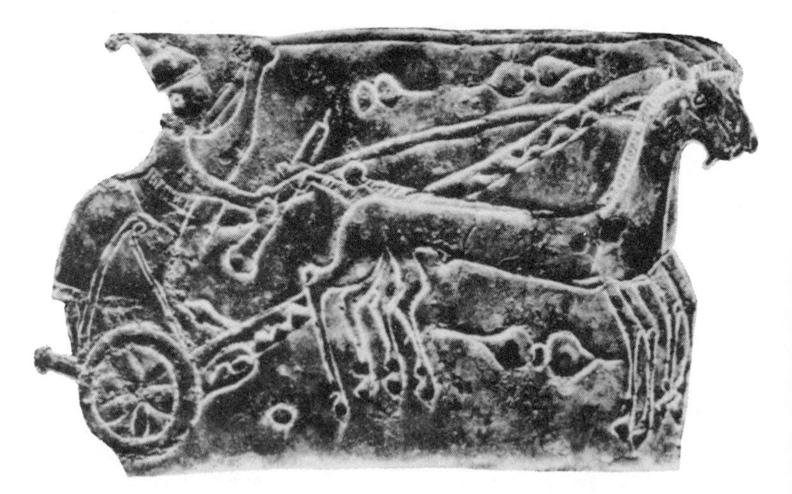

Le conducteur dirige l'attelage à l'aide d'un aiguillon. Situle Arnoaldi (détail), Bologne. D'après O.H. Frey.

LA BATAILLE ÉPIQUE

Valmiki

L'homme face au démon

(Inde, IIIe siècle après Jésus-Christ)

Sîtâ, épouse du prince Râma, a été enlevée par Râvana, le démon aux dix têtes et aux vingt bras, chef des Râksasas et roi de l'île de Lankâ, aujourd'hui Sri Lanka. Pour la délivrer, Râma traverse toute l'Inde, puis, avec ses alliés, les singes qui ont jeté un pont de pierres sur la mer, il envahit le domaine de son ennemi.

Il arriva enfin ce moment où Râvana, pour la mort de Râma ou pour la sienne, monta sur son char prodigieux et revêtit ses habits de bataille. Et ce char étincelait comme des milliers de soleils, attelé de huit coursiers plus obscurs que la nuit. 5 Il y monta avec son habit rouge, muni de l'éventail et du parasol blanc ; et quand les roues se mirent en mouvement, de longs tremblements secouèrent la terre. Un vent de peur passa sur l'armée des singes. « Il s'en va celui que personne, jamais, n'a pu dompter » vociféraient les Râksasas et leurs 10 noirs visages se plissaient d'orgueil. Mais alors, l'astre du jour retint sa lumière et sur les régions cardinales s'amassèrent d'opaques ténèbres. Une pluie de sang s'abattit brusquement et les chevaux royaux trébuchèrent dans la boue rougeâtre. Sur l'immense oriflamme vint se poser un vautour et 15 les chacals hurlèrent lugubrement. Un instant, Daçagrîva[1] pâlit, mais, chassant de sa pensée les funestes présages, il entra sur le champ de bataille, poussé par le Temps et par le Destin.

Râma et Râvana s'affrontent. Dans la violence du combat, leurs chars sont détruits.

Il[2] revint avec un nouveau char tiré par des coursiers à face

1. Autre nom de Râvana.

2. Il s'agit de Râvana.

humaine. Voyant cela, les dieux se disaient : « Râma est à
20 pied, et Daçagrîva domine du haut de son char. Cette situation n'est pas équitable. Fournissons au fils de Daçaratha un véhicule et son conducteur. » C'est ainsi que Mâtali[3], l'écuyer des dieux, montant sur le puissant char d'Indra[4], courut rejoindre Râghava[5].

25 - Indra te prête son véhicule, prince aux grands yeux ! Désormais, à armes égales, sois le vainqueur du chef des Râksasas ! [...]

Alors, Râma contempla la vérité suprême, prononça la syllabe sacrée[6], puis, s'étant rincé trois fois la bouche, s'en fut
30 accomplir ce qu'avait écrit le Destin. Le soleil flamboyait. La mort de Râvana ne faisait plus de doute.

Une semaine entière, sans repos, le jour comme la nuit, les deux héros s'assaillirent. Tous deux firent voir en ce combat la plus parfaite essence du courage. Plusieurs fois,
35 Râma coupa une tête de Râvana, mais elle repoussait aussitôt. Le monarque semblait invulnérable. Alors, comme naissait le septième jour, le seigneur de la terre prit un trait fait de l'énergie de tous les êtres ; il le consacra selon les paroles saintes et le plaça sur la corde de l'arc immense – l'arc fait
40 du Véda[7]. Une dernière fois, le démon et l'homme furent face à face. Les deux armées se tenaient immobiles, les armes à la main. Tandis que se tendait l'arc colossal, la terreur s'empara du ciel et de la terre ; sur les rivages de Lankâ, l'océan se souleva jusqu'aux nuages. La flèche partit, brillante
45 comme l'aurore ; elle s'en alla comme s'en va la Mort et s'abattit sur la poitrine de Râvana. Elle perça son cœur. Elle éteignit ses souffles vitaux. Les armes du démon tombèrent et son corps sans vie s'écroula dans la poussière.

D'un seul coup, la déroute définitive commença tandis que
50 dans les cieux retentissaient les hymnes de joie des dieux et des déesses. Le fléau des mondes. Râvana – celui qui fait

Lutte entre les armées de Râma et de Râvana. XVIe siècle, Delhi.

3. Cocher divin, il conduit le char des dieux.
4. Dieu de la foudre et de la guerre.
5. Autre nom de Râma.
6. « Om », syllabe par laquelle le fidèle exprime le sacré et sa soumission à l'ordre cosmique.
7. Les Védas sont les livres sacrés les plus anciens de l'Inde, ils sont aussi la source du pouvoir du roi juste.

pleurer les mondes – était retourné aux cinq éléments. Une brise fortunée souffla et des fleurs, tombant du ciel, couvrirent le char de Râma. L'air vicié redevint pur et d'indicibles musiques jaillirent de toutes les régions de l'espace. 55

Après cette éclatante victoire, Râma retrouva Sîtâ et tous deux revinrent dans leur ville, Ayodhyâ.

Valmiki, Le Râmâyana, adaptation de Charles Le Brun, Éd. Dervy-Livres, 1985.

Comprendre le texte

Le merveilleux dans l'épopée

1. Relevez les éléments qui rendent Râvana particulièrement terrible. À quel monstre de la mythologie grecque peut-il faire penser ?

2. Relevez les éléments qui appartiennent au surnaturel.

3. Quels signes indiquent que la victoire finale reviendra à Râma ? Par qui ces signes sont-ils envoyés ? Râvana, le démon, tient-il compte de ces avertissements ?

4. Quels personnages interviennent pour aider Râma ? Comment ces interventions se justifient-elles ?

Une victoire spirituelle

5. Les armes de Râma ne sont pas seulement matérielles, elles sont aussi spirituelles : relevez les passages du texte qui le prouvent et dites par quel moyen Râma se les procure.

6. Dans les derniers paragraphes, la nature tout entière prend part au combat et à la victoire de Râma : qu'est-ce qui l'indique dans le texte ?
À quelle laisse de la *Chanson de Roland* ce passage vous fait-il penser ?

Se documenter

Une arme symbolique : l'arc

L'arc, avant l'épée, était l'arme des rois et des guerriers indo-européens comme le montrent la mythologie et l'épopée grecques : toutes les morts subites sont causées par les flèches d'Apollon, Pâris tue Achille d'une flèche, Ulysse, à Ithaque, massacre ses rivaux avec son arc fabuleux. *La Chanson de Roland* garde une trace de cette valeur : c'est un arc que Charlemagne tend à Roland en lui donnant le commandement de son arrière-garde. L'arc est ainsi la marque de l'autorité et du pouvoir.

Le Râmâyana

Composé de sept livres, 645 chants et 24 000 versets ou strophes appelées çlokas, ce poème raconte les aventures de Râma, héros à la fois humain et divin, puisqu'il est une des incarnations ou avatars de Vishnou, dieu préservateur du monde qui lutte contre les démons qui en troublent l'ordre.

Le *Râmâyana* présente beaucoup de points communs avec l'*Iliade* et l'*Odyssée*. Ainsi Râma épouse Sîtâ parce qu'il est le seul, tel Ulysse, à pouvoir bander un arc fabuleux ; il vit en exil, loin du royaume de son père, pendant quatorze ans (à cause des intrigues de sa marâtre, aussi jalouse et vindicative que Junon) ; et la guerre contre Ravana est provoquée par l'enlèvement de Sîtâ, comme la guerre contre Troie l'est par celui d'Hélène.

Le *Râmâyana* est avec le *Mahâbhârata*, la grande (maha) geste des Bhârata, l'une des deux grandes épopées de l'Inde. Les origines de *Râmâyana*, marche ou geste de Râma, se perdent dans la nuit des temps : lorsqu'au début de l'ère chrétienne, le poète Valmiki composa cette épopée, les aventures de Râma avaient été contées par des générations de « bardes » dans l'Inde entière, des plus grandes villes au moindre village.

Aujourd'hui encore, les épopées indiennes constituent la principale source d'inspiration des différentes formes de théâtre de toute l'Asie du Sud-Est.

L'auteur : Valmiki

La vie de Valmiki apparaît tout aussi légendaire et mouvementée que celle d'Homère : on ne peut dire, à cinq siècles près, à quelle époque il vécut ! Son destin fut celui des héros picaresques : abandonné à sa naissance par ses parents, il fut recueilli par des barbares qui l'obligèrent à devenir voleur, tel Gil Blas ou Figaro ! Un sage lui ouvrit les yeux sur sa conduite et lui imposa comme pénitence de prononcer un nombre infini de fois le mot « marâ », qui signifie « tuer » mais qui est aussi l'anagramme de Râma, tout en restant immobile. Valmiki lui obéit si bien qu'il fut entièrement recouvert de fourmis et de termites (Valmika en sanscrit). Le sage revient alors le libérer de sa peine.

Plus tard, Valmiki surprit un chasseur en train de tuer un héron et lança contre lui une imprécation formulée spontanément sous une forme poétique nouvelle : le çloka. En récompense pour sa compassion, le dieu Brahmâ, créateur du monde, lui demanda de raconter l'histoire de Râma en utilisant le çloka.

Rabelais

La défense du territoire

Gargantua est un géant, fils d'un autre géant, Grandgousier. De surcroît, ce dernier est roi, mais d'un royaume... lilliputien, puisqu'il s'agit de quelques arpents de vigne et de quelques villages de Touraine. Si petit qu'il soit, le domaine de Grandgousier attire la convoitise de son voisin, Picrochole. Celui-ci envahit ses terres. Ses soldats, ou plutôt ses soudards, pénètrent dans l'abbaye de Seuillé dont ils entreprennent de piller et ravager la vigne : c'était compter sans la réaction de frère Jean des Entommeures. Ce personnage haut en couleur permet non seulement à Rabelais de donner une vision humoristique du monde monacal mais aussi de faire réfléchir le lecteur sur les horreurs de la guerre dans une parodie de chanson de geste.

En l'abbaye était pour lors un moine claustrier[1], nommé frère Jean des Entommeures[2], jeune, galant, frisque[3], de hayt[3], bien à dextre[3], hardi, aventureux, délibéré, haut, maigre, bien fendu de gueule, bien avantagé en nez, beau dépêcheur d'heu-
5 res[4], beau débrideur de messes, beau décrotteur de vigiles, pour tout dire sommairement vrai moine si onques[5] en

1. Qui vit cloîtré.
2. « Frère Jean du Hachis ».
3. Pimpant, joyeux, adroit.
4. Qui expédie la lecture des heures, prières du jour.
5. Jamais.

fut depuis que le monde moinant moina de moinerie ; au reste clerc jusqu'aux dents en matière de bréviaire.

Icelluy[6], entendant le bruit que faisaient les ennemis par le clos de leur vigne, sortit hors pour voir ce qu'ils faisaient, et, avisant qu'ils vendangeaient leur clos auquel était leur boire de tout l'an fondé, retourne au chœur de l'église, où étaient les autres moines, tous étonnés comme fondeurs de cloches, lesquels voyant chanter *Ini nim, pe, ne, ne, ne, ne, ne, ne, tum, ne, num, num, ini, i, mi, i, mi, co, o, ne, no, o, o, ne, no, ne, no, no, no, rum, ne, num, num*[7] : « C'est, dit-il bien chien chanté ! Vertu Dieu, que ne chantez-vous : Adieu paniers, vendanges sont faites ? Je me donne au diable s'ils ne sont pas en notre clos et tant bien coupent et ceps et raisins qu'il n'y aura, par le corps Dieu ! de quatre années que halleboter[8] dedans. Ventre saint Jacques ! que boirons-nous cependant, nous autres pauvres diables ? Seigneur Dieu, *da mihi potum*[9] »

Lors dit le prieur claustral :

« Que fera cet ivrogne ici ? Qu'on me le mène en prison. Troubler ainsi le service divin !

- Mais, dit le moine, le service du vin, faisons tant qu'il ne soit troublé : car vous-même, monsieur le Prieur, aimez boire, et du meilleur. [...]

Ce disant, mit bas son grand habit et se saisit du bâton de la croix, qui était de cœur de cormier, long comme une lance, rond à plein poing et quelque peu semé de fleurs de lys, toutes presque effacées. Ainsi sortit en beau sayon[10], mis son froc[10] en écharpe et de son bâton de la croix et donna si brusquement sur les ennemis, qui, sans ordre, ni enseigne, ni trompette, ni tambourin, parmi le clos vendangeaient, [...] il choqua donc si raidement sur eux, sans dire gare, qu'il les renversait comme porcs, frappant à tort et à travers, à vieille escrime[12].

Aux uns écrabouillait la cervelle, aux autres rompait bras et jambes, aux autres délochait les spondyles du cou, aux

---

6. Celui-ci.
7. Parodie d'un chant grégorien.
8. Grapiller.
9. Donne-moi à boire.
10. Blouse de travail, vêtement court.
11. Habit de dessus pour le moine.
12. Sans finesse, par rapport à la nouvelle escrime italienne, plus subtile.

autres démoulait les reins, avalait le nez, pochait les yeux, fendait les mandibules, enfonçait les dents en la gueule, décroulait les omoplates, sphacelait les grèves, dégondait les
45 ischies, débezillait les faucilles.

Si quelqu'un se voulait cacher entre les cepts plus épais, à icelluy freussait toute l'arête du dos et l'érénait comme un chien. Si aucun sauver se voulait en fuyant, à icelluy faisait voler la tête en pièces par la commissure lambdoïde. Si quel-
50 qu'un gravait[13] en un arbre, pensant y être en sûreté, icelluy de son bâton empalait par le fondement. Si quelqu'un de sa vieille connaissance lui criait « Ha ! frère Jean, mon ami frère Jean, je me rends ! »

- Il t'est [disait-il] bien force, mais ensemble tu rendras
55 l'âme à tous les diables. »

[...]

Les uns mouraient sans parler, les autres parlaient sans mourir. Les uns mouraient en parlant, les autres parlaient en mourant.

60 Les autres criaient à haute voix « Confession ! Confession ! *Confiteor ! Miserere ! In manus !*[14] »

François Rabelais, *Gargantua* (1535), chap. 27, « Bibliothèque de la Pléiade », Éd. Gallimard, Paris 1978.

Comprendre le texte

La parodie de l'épopée

1. La parodie est l'imitation burlesque d'une œuvre sérieuse : en comparant cet extrait de Gargantua aux laisses 93, 94, 104, 106 et 170 de *La Chanson de Roland*, vous direz ce qui fait du texte de Rabelais une parodie de chanson de geste.

2. Faites le portrait de Frère Jean des Entommeures à travers son physique, ses propos, ses actions. Ses motivations dans le combat qui l'oppose aux soudards de Piccrochole sont-elles de même nature que celle de l'archevêque Turpin ? En quoi l'intention est-elle parodique ?

---

13. Grimpait.

14. Trois débuts de prières.

Un texte polémique

3. La parodie n'est pas un jeu gratuit : elle est souvent une arme pour dénoncer des comportements ou des injustices. Elle devient alors satire des travers de la société. Quelle sont ici les deux cibles de Rabelais ?

4. Rabelais a été à la fois moine et médecin : à quels détails le voit-on en lisant le texte ? De quelle utilité lui est cette connaissance du monde monastique et de la douleur physique ?

Se documenter

La parodie de l'épopée

Genre sérieux, voire sublime, l'épopée a souvent été tournée en dérision.
La parodie des épopées et des chansons de geste a été surtout féconde aux XVIe et XVIIe siècles – on songe au *Don Quichotte* (1605-1615) de Cervantes – sans doute parce que les chevaliers devenaient anachroniques dans un monde où les rois comptaient de plus en plus sur la discipline collective des armées et de moins en moins sur la fureur de quelques héros.

• Bibliographie

Le Chevalier inexistant, Italo Calvino : le chevalier parfait n'est qu'une armure vide.
La Guerre des boutons (1912), Louis Pergaud : des petits paysans français manient l'injure homérique et le sabre de bois aussi bien que leurs illustres devanciers.

L'ÉPOPÉE MODERNE

Émile Zola

La fureur du peuple

Germinal *est l'histoire d'une grève en pays minier sous le Second Empire. Mais au-delà de l'évocation réaliste d'une région, de la misère ou de la naissance des organisations ouvrières, le roman de Zola est une peinture fantastique de la mine dévoreuse d'hommes, une vision épique de la révolution sociale qui, telle les invasions barbares détruisant l'empire romain décadent, édifiera un Nouveau Monde sur les ruines de l'Ancien.*

Sous la conduite d'Étienne Lantier, les mineurs sont en grève pour obtenir des grandes compagnies minières une amélioration de leur sort. Mais la grève dure : après deux mois de privations, une foule de mineurs affamés se dirige vers le siège régional de la compagnie à Montsou. Ils sont observés par la femme du directeur, son neveu et trois jeunes filles dissimulés dans une grange.

Les femmes avaient paru, près d'un millier de femmes, aux cheveux épars dépeignés par la course, aux guenilles montrant la peau nue, des nudités de femelles lasses d'enfanter des meurt-de-faim. Quelques-unes tenaient leur petit
5 entre les bras, le soulevaient, l'agitaient, ainsi qu'un drapeau de deuil et de vengeance. D'autres, plus jeunes, avec des gorges gonflées de guerrières, brandissaient des bâtons ; tandis que les vieilles, affreuses, hurlaient si fort, que les cordes de leurs cous décharnés semblaient se rompre. Et
10 les hommes déboulèrent ensuite, deux mille furieux, des

galibots[1], des haveurs[2], des raccommodeurs[3], une masse compacte qui roulait d'un seul bloc, serrée, confondue, au point qu'on ne distinguait ni les culottes déteintes ni les tricots de laine en loques, effacés dans la même uniformité terreuse.
15 Les yeux brûlaient, on voyait seulement les trous des bouches noires, chantant *la Marseillaise*, dont les strophes se perdaient en un mugissement confus, accompagné par le claquement des sabots sur la terre dure. Au-dessus des têtes, parmi le hérissement des barres de fer, une hache passa, portée toute
20 droite ; et cette hache unique, qui était comme l'étendard de la bande, avait, dans le ciel clair, le profil aigu d'un couperet de guillotine.

« Quels visages atroces ! » balbutia Mme Hennebeau[4].

Négrel[5] dit entre ses dents :

25 « Le diable m'emporte si j'en reconnais un seul ! D'où sortent-ils donc, ces bandits-là ? »

Et, en effet, la colère, la faim, ces deux mois de souffrances et cette débandade enragée au travers des fosses, avaient allongé en mâchoires de bêtes fauves les faces placides des
30 houilleurs[6] de Montsou. À ce moment, le soleil se couchait, les derniers rayons d'une pourpre sombre ensanglantaient la plaine. Alors, la route sembla charrier du sang, les femmes, les hommes continuaient à galoper, saignants comme des bouchers en pleine tuerie.

35 « Oh ! superbe ! » dirent à demi-voix Lucie et Jeanne[7], remuées dans leur goût d'artistes par cette belle horreur.

Elles s'effrayaient pourtant, elles reculèrent près de Mme Hennebeau, qui s'était appuyée sur une auge. L'idée qu'il suffisait d'un regard entre les planches de cette porte
40 disjointe, pour qu'on les massacrât, la glaçait. Négrel se sentait blêmir[8], lui aussi, très brave d'ordinaire, saisi là d'une épouvante supérieure à sa volonté, une de ces épouvantes qui soufflent de l'inconnu. Dans le foin, Cécile[9] ne bougeait plus.

---

1. Ouvriers travaillant au boisage des puits et des galeries.
2. Ouvriers chargés de l'extraction du charbon.
3. Ouvriers chargés de l'entretien des voies.
4. Épouse du directeur de la mine.
5. Ingénieur, neveu de M. Hennebeau.
6. Mineurs : la houille est le nom scientifique du charbon.
7. Filles de Deneulin, propriétaire d'une petite mine.
8. Pâlir sous l'effet d'une émotion, ici, la peur.
9. Fille d'un actionnaire de la Compagnie.

Et les autres, malgré leur désir de détourner les yeux, ne le
45 pouvaient pas, regardaient quand même.

C'était la vision rouge de la révolution qui les emporterait tous, fatalement, par une soirée sanglante de cette fin de siècle. Oui, un soir, le peuple lâché, débridé, galoperait ainsi sur les chemins ; et il ruissellerait du sang des bourgeois, il
50 promènerait des têtes, il sèmerait l'or des coffres éventrés. Les femmes hurleraient, les hommes auraient des mâchoires de loups, ouvertes pour mordre. Oui, ce seraient les mêmes guenilles, le même tonnerre de gros sabots, la même cohue effroyable, de peau sale, d'haleine empestée, balayant le
55 vieux monde, sous leur poussée débordante de barbares. Des incendies flamberaient, on ne laisserait pas debout une pierre des villes, on retournerait à la vie sauvage dans les bois, après la grande ripaille, où les pauvres, en une nuit, videraient les caves des riches. Il n'y aurait plus rien, plus un sou des
60 fortunes, plus un titre des situations acquises, jusqu'au jour où une nouvelle terre repousserait peut-être. Oui, c'étaient ces choses qui passaient sur la route, comme une force de la nature, et ils en recevaient le vent terrible au visage. Un grand cri s'éleva, domina *la Marseillaise* :

65 « Du pain ! du pain ! du pain ! »

Émile Zola, *Germinal* (1885), V. 5.

Comprendre le texte

1. L'émeute est vue par un groupe de personnes qui appartiennent à la bourgeoisie : quels sont leurs sentiments ? Dans quels passages sont-ils exprimés ?

2. Que nous apprend le texte sur l'aspect physique et la situation matérielle des mineurs et de leur famille ? Dans quelle mesure ces renseignements corrigent-ils le point de vue des témoins de l'émeute ?

3. Relevez les éléments de la description qui, dans le premier paragraphe, métamorphosent les femmes en guerrières et les hommes en minéraux ou en animaux. Quelles autres transformations subissent-ils ? En quoi peut-on comparer ce passage à celui qui décrivait les « contorsions de Couhoulinn » ?

4. Toute épopée suppose un héros : quel est-il ici ?

5. Le passage s'achève sur une prophétie : laquelle ? Elle mêle espoir et craintes : pourquoi ? Cette vision interprète l'avenir à la lumière d'événements du passé : lesquels ? Justifiez votre réponse par des citations précises du texte.

Analyser les techniques d'écriture

Le style épique

Relevez les procédés qui transforment la description de l'émeute en tableau épique :
- l'amplification par les pluriels ;
- la simplification ;
- la symbolisation, par les images, les couleurs.

Se documenter

Roman et épopée

« Le roman est un vaste champ d'essai qui s'ouvre à toutes les formes du génie, à toutes les manières. C'est l'épopée future, la seule probablement que les mœurs modernes comporteront désormais » (Sainte-Beuve).
La vogue du roman épique au XIXe siècle justifie en partie ce jugement de Sainte-Beuve : *Les Martyrs* (1809) de Chateaubriand furent suivis des romans de l'Anglais Walter Scott (*Ivanhoë*, 1819) qui retrouvait l'inspiration des récits du Moyen Âge. Inévitablement, on retrouve Hugo avec *Les Misérables* (1862) et *Les Travailleurs de la Mer* (1866). Mais on pourrait tout aussi bien parler d'épopée à propos de l'œuvre de Balzac et de Zola.

Sur la piste de la Grande Caravane (The Hallelujah Trail),
film de John Sturges, 1965.

Analyser une image

1. Décrivez cette photo extraite d'un western en précisant la place et l'importance des éléments humains, les uns par rapport aux autres et par rapport au paysage.

2. A quel moment de la séquence dont elle est extraite situez-vous cette image ?

3. Le plan situe les personnages dans le décor : c'est un plan d'ensemble. La caméra est placée au-dessus des personnages et du décor : c'est la plongée. Que suggère cette prise de vue sur les intentions des Indiens ?

Récit écrit et récit filmé

1. Le titre français du film est-il une traduction du titre américain ? Sur quels aspects différents du film mettent-ils respectivement l'accent ?

2. A quels passages de *La Chanson de Roland* cette photo fait-elle penser ? Pour quelles raisons ?

S'exprimer

Exposés : 1. Le western, avocat et juge de la conquête de l'Ouest.
2. Le western comme épopée moderne.
Sujet d'imagination : donnez une suite à cette photo, sous forme de récit écrit ou sous forme de *story-board*, c'est-à-dire de scénario illustré par des dessins représentant chacun un plan.

Table des illustrations

Imprimerie de Montligeon - 61400 La Chapelle Montligeon
Dépôt légal : Février 1994 - N° 16686
N° édition : 9317